*Este libro pertenece a*

Jubetsy

*... una joven*
*con pasión y propósito.*

Con Mucho Amor y Cariño
de tu Amiga y Hna en
Cristo.

María Luciano

# Una Joven conforme al Corazón de Dios

Guía para jóvenes sobre los amigos, la fe, la familia y el futuro

*Elizabeth George*

Publicado por
Unilit
Medley, FL 33166


Primera edición 2003
Primera edición 2015 (Serie Favoritos)


Originalmente publicado en inglés con el título:
*A Young Woman After God's Own Heart* por Elizabeth George.
Publicado por Harvest House Publishers
Eugene, Oregon 97402
www.harvesthousepublishers.com


Traducción: *Marian Belmonte*



Las cursivas en los pasajes bíblicos indican el énfasis que añadió la autora.

Producto 497007 • ISBN 0-7899-2238-X • ISBN 978-0-7899-2238-0

Impreso en Colombia / *Printed in Colombia*

Categoría: Jóvenes /Vida cristiana
*Category: Youth /Christian Living*

# *Contenido*

## Tercera parte

*La puesta en práctica de las prioridades de Dios*

Dedico este libro con amor
a las «jóvenes» en mi vida,
mis queridas nietas:

❖

Taylor Jane Zaengle
Katherine Elizabeth Seitz

❖

Reconócelo en todos tus caminos,
y él allanará tus sendas.

*Proverbios 3:6*

## Reconocimientos

Como siempre, gracias a mi querido esposo, Jim George, licenciado en divinidades y teología, por tu valiosa ayuda, dirección, sugerencias y ánimo incondicional durante este proyecto.

# *Unas palabras de bienvenida*

*Querida amiga:*

Sin conocerte siquiera, ¡puedo decirte que eres alguien muy especial! ¿Por qué? Porque decidiste leer este libro. Cuando consideraste este título, es bastante obvio que quieres convertirte en una joven conforme al corazón de Dios. Este libro está repleto de información y soluciones prácticas que te enseñarán cómo cumplir el deseo de tu corazón: convertirte en una mujer conforme al corazón de Dios. Antes de comenzar juntas nuestro viaje, hay algunas cosas que harán que este sea incluso más placentero.

*Abre tu libro...* ¡y disfrútalo! Todo lo que necesitas está aquí. He intentado que sea conveniente para ti como una joven ocupada. En mi mente, te imaginé leyendo este libro en la cama de tu cuarto, en la litera de un campamento, en el asiento trasero de un auto o en un avión mientras te ibas de vacaciones con tu familia, en una silla de extensión de la piscina tomando el sol, incluso en la biblioteca después de terminar tus tareas. Disfruta el libro, llévalo contigo y permite que la Palabra de Dios te instruya.

*Abre tu corazón...* a tus amigas. Anímalas a que también lo lean. Así cada una de ustedes crecerá, lo cual significa que su amistad irá creciendo en la dirección adecuada: en las cosas del Señor. Una mujer piadosa necesita amigas piadosas, así que invítalas a que se unan a ti.

*Abre tu corazón...* y mira a tu alrededor. ¿Hay muchachas que no conoces muy bien en tu escuela, o en tu vecindario, o quizá donde trabajas, a las que puedas invitar a estudiar el libro contigo? ¿Muchachas que necesitan al Salvador? ¿Que necesitan algunas pautas para sus vidas? ¿Que necesitan una amiga? Susúrrale a Dios una oración, sé valiente y sal a invitar a alguien que te gustaría conocer más a que se una a ti.

*Abre tu corazón...* a las prioridades y a los asuntos que se tratan en este libro. Están hechos a tu medida. Te darán la sabiduría y las pautas de Dios para las principales esferas de tu vida.

*Abre tu corazón...* a través de la oración al Espíritu Santo. Pídele que ilumine su Palabra, que te ayude a entender el plan y las prioridades de Dios para tu vida y que transforme tu corazón.

*Abre tu corazón...* ¡y sueña! Sueña con la mujer que anhelas ser: una mujer conforme al corazón de Dios.

¡Y ahora hagamos realidad esos sueños! Mi oración es que el contenido de este libro especial te anime, te emocione, te instruya y te inspire a fin de avanzar en tu búsqueda de llegar a ser conforme al corazón de Dios de una manera incluso más apasionada.

En su grande y maravilloso amor,
tu amiga y hermana en Cristo,

Elizabeth George

Elizabeth George

## Primera parte

# *En busca de Dios*

# 1

# Un corazón consagrado a Dios

*Pero solo una es necesaria.*
*María ha escogido la mejor,*
*y nadie se la quitará.*
LUCAS 10:42

¿Te has sentido alguna vez nerviosa... inquieta... irritada... gruñona? ¿Como si tu vida se derrumbara y perdieras el control? Y aunque lo sabías y no querías actuar así, ¿te pasaste el día pisando fuerte, pasando por encima de todos y de todo lo que se pusiera en tu camino: tus padres, tu hermano o hermana, tus amigas, el vendedor de la tienda?

Pues bien, mi nueva amiga, ¡no eres la única! Esto le ocurrió a una mujer en la Biblia, una mujer como tú y como yo, que estaba demasiado alterada. Es más, ¡era un desastre! Su nombre es Marta, y Marta era amiga de Jesús.

## *¿Qué ocurrió?*

¿Qué ocurrió para que Marta se irritara? En pocas palabras, Jesús y sus discípulos iban a venir a su casa. ¡Caramba! Ahora bien, ¡*ese* debería haber sido el mejor día en la vida de Marta! Sin embargo, Marta cayó en picada. ¿Por qué? Porque Marta estaba demasiado enredada en las actividades de su vida, actividades como...

*servir* a Jesús y

*trabajar* por Jesús.

Y con todo ese trabajo y servicio, Marta se olvidó de...

*detenerse* y disfrutar de Jesús y

*adorarle.*

¿Y de qué forma se mostró el atareo de Marta y el descuido de su vida espiritual? Ya lo sabes: se puso nerviosa... inquieta... irritada... gruñona, y después se derrumbó y perdió el control. Marta no solo se pasó el día pisando fuerte, sino que lo hizo en la cocina, en el comedor y en la sala de estar. Incluso se encaró con su hermana menor, María. Y, entonces (el horror de los horrores), ¡se le encaró a Jesús!

### ¿Qué andaba mal?

Sin duda alguna, Marta perdió el control. Y esto la llevó a decir cosas que no debió haber dicho: culpar a otros de su lamentable condición, dar órdenes a todo el mundo (¡incluso a Jesús!), comparar la cantidad de trabajo que hacía con la cantidad de trabajo que hacía su hermana (¡o que no hacía!), quejarse, exaltarse... Pues bien, estoy segura que te imaginas la escena.

Sin embargo, ¿qué estaba mal?

## ✎ De la Palabra de Dios para tu corazón...

Si se observa el relato bíblico y lo que nos dice de Marta y de María, responderá nuestras preguntas. Puedes leerlo más abajo. Es lo que yo llamo «la historia de las dos hermanas». Mientras lo lees, observa lo que Jesús dijo que estaba mal en el corazón de

Marta. Analiza también las palabras que la Biblia, y Jesús, usa para describir la conducta de Marta. No pases por alto cómo se nos describe a María y las cosas buenas que Jesús dijo de ella.

> *Mientras iba de camino con sus discípulos, Jesús entró en una aldea, y una mujer llamada Marta lo recibió en su casa. Tenía ella una hermana llamada María que, sentada a los pies del Señor, escuchaba lo que él decía. Marta, por su parte, se sentía abrumada porque tenía mucho que hacer. Así que se acercó a él y le dijo:*
>
> *—Señor, ¿no te importa que mi hermana me haya dejado sirviendo sola? ¡Dile que me ayude!*
>
> *—Marta, Marta —le contestó Jesús—, estás inquieta y preocupada por muchas cosas, pero solo una es necesaria. María ha escogido la mejor, y nadie se la quitará (Lucas 10:38-42).*

## *¿Qué fue lo determinante?*

A medida que aprendemos de estas dos hermanas, no debemos olvidar el hecho de que *ambas* amaban a Jesús (mira los versículos 38-39). Ambas amaban a nuestro Señor, y ambas le servían, pero en esta escena hubo una gran diferencia en sus comportamientos, lo cual revelaba algo sobre la condición de sus corazones en ese momento.

Como ves, a María no solo le gustaba servir al Señor, sino que le gustaba también *escucharlo.* Quiero decir que en el mismo instante en que Jesús comenzó a hablar, ¡María se detuvo! Su servicio dio un frenazo en seco y se detuvo, dejó los platos a un lado y se sentó a los pies de Jesús. ¿Por qué? Con el propósito *de* escucharlo, ¡no solo hacer cosas *para* Él! A fin de cuentas, *Él* tenía «palabras de vida eterna» (Juan 6:68).

Por lo tanto, nuestra querida María demostró un corazón consagrado a Dios al oír sus palabras y adorarlo. Estaba obsesionada con Jesús. Lo que creo es que a María también le gustaban las disciplinas más tranquilas de la vida cristiana, como sentarse en su lugar favorito para meditar en las Escrituras, orar a Dios y quizá hasta escribir un diario o un devocional. Sea esto cierto o no, lo que sí sabemos a ciencia cierta es que María sabía cuándo y cómo tomar la decisión de detener todos los quehaceres de la vida y pasar tiempo con Dios.

Y aquí tenemos otro detalle que no debemos pasar por alto. Sin duda, María hizo su trabajo, pero quería estar segura de que sus decisiones le permitieran tener el tiempo tan importante y necesario para cuidar de su consagración y compromiso con Dios. Sí, su corazón estaba consagrado a Dios.

## *¿Qué es un corazón consagrado a Dios?*

Debido a que María era una mujer conforme al corazón de Dios, su corazón estaba consagrado a Él. Estaba preocupada siempre de una cosa: ¡Él! Como dije antes, María estaba obsesionada con el Señor. Por tanto, tomó una firme decisión, una determinación, la cual hizo que Jesús hablara de ella como lo hizo. ¿Y cuál fue esa decisión? María decidió pasar tiempo oyendo a Dios a través de su Palabra y adorándolo en su corazón. En otras palabras, María decidió pasar parte de su preciado tiempo con el Señor.

El tiempo que pasamos de esta forma, mi querida amiga, es un tiempo que nunca está perdido y que jamás te pueden quitar (mira el versículo 42). ¿Por qué? Porque es tiempo empleado en propósitos eternos, tiempo que se transforma en bendiciones diarias y eternas.

## *Sí, ¿pero cómo?*

Sé que tú también quieres ser una mujer conforme al corazón de Dios, como lo fue María. Así que, *¿cómo* logras moverte en esa dirección? Considera estas tres formas ya comprobadas y eficaces.

1. *Decide pasar tiempo con Dios*: Así lo expresó una mujer conforme al corazón de Dios: «No quiero perderme ni siquiera una de las riquezas de Dios por no tomarme tiempo para permitirle que invada mi vida. Por no escuchar lo que me quiere decir. Por permitir que la rutina y la presión de los quehaceres diarios me dejen sin tiempo para la relación más emocionante y satisfactoria de la vida»[1].

Ahora bien, ¿cómo sacas tiempo en tu agitado día para «la relación más emocionante y satisfactoria de la vida»? ¿Para escuchar a Dios? ¿Para pasar tiempo con Él? ¿Para permitirle que invada tu vida?

Escucha lo que el pastor de la escuela de mis hijas le dijo a su grupo de jóvenes sobre pasar tiempo con Dios. Les preguntó: «¿Estarían dispuestas a hacer un poco de ayuno cada día, un ayuno de *tiempo*? ¿Estarían dispuestas a ...

... decir *no* a un rato de televisión,
... decir *no* a un rato de teléfono,
... decir *no* a un rato con las amigas,
... decir *no* a un rato en el centro comercial, para poder
... decir *sí* a un rato con Dios?»

Y ahora la pregunta es: ¿lo estarías *tú*?

2. *Escoge los caminos de Dios siempre que tengas la oportunidad*: «Reconócelo en todos tus caminos, y él allanará tus sendas» (Proverbios 3:6) podría ser el versículo lema de todo este libro, ¡y de la vida! Este querido versículo describe una sociedad con Dios en dos pasos. *Nuestra parte* es detenernos y

reconocer a Dios en el camino. *La parte de Dios* es dirigir nuestros caminos y allanarlos. Esto significa que tenemos que consultar a Dios a la hora de tomar nuestras decisiones, de hablar, de pensar y de responder. Esto significa que *antes* de seguir adelante, o *antes* de reaccionar ante algo o alguien, primero tenemos que detenernos y orar: «Dios, ¿qué quieres que haga, o piense, o diga en esta situación?». Si haces esto, verás que los principios de este poema son ciertos en tu vida y en las decisiones que tomes.

Bueno, mejor, excelente,
nunca descanses
hasta que tu bueno sea mejor,
y tu mejor, excelente.

¿No crees que esta práctica de detenernos y consultar a Dios *antes* de actuar (y volver a actuar) como hizo Marta, nos ayudaría a ti y a mí a tomar buenas, mejores y excelentes decisiones en las situaciones a las que nos enfrentamos cada día? ¿No crees que este hábito nos haría más como María?

3. *Encomiéndate a Dios cada día*: En Romanos 12:1, el apóstol Pablo dice «que cada uno de ustedes, en adoración espiritual, ofrezca su cuerpo como sacrificio vivo, santo y agradable a Dios». A medida que consideramos nuestro deseo de encomendarnos a Dios cada día, quiero que comiences una nueva práctica esta semana basada en Romanos 12:1. Quiero que comiences cada día encomendándote a Dios. ¿Y cómo lo logras? Así es como lo hizo un hombre. Escribió una lista de lo que llamaba «sus reglas para la vida diaria». ¿Y cuál era la regla #1 en su lista?

> Hacer una dedicación y entrega diaria, definitiva y en voz audible de ti mismo a Dios. Di en voz alta: «Señor, hoy me entrego de nuevo a ti»[2].

¿Por qué no hacer una entrega como esta a Dios cada día durante una semana? Y luego, ¿por qué no intentar hacerlo un hábito para siempre?

4. *Cultiva un corazón ardiente*: Dios tiene unas cuantas cosas que decirnos en Apocalipsis 3:15-16 sobre la condición de nuestro corazón. Léelo tú misma:

> *Conozco tus obras; sé que no eres ni frío ni caliente. ¡Ojalá fueras lo uno o lo otro! Por tanto, como no eres ni frío ni caliente, sino tibio, estoy por vomitarte de mi boca.*

¡Creo que es bastante obvio, según este pasaje, cuál es la condición del corazón que Dios considera como la peor! Y es incluso más serio a medida que pensamos en estos tres factores escalofriantes:

- Ser *frío* significa ser alguien sin emociones, inconsciente de Dios. ¡Imagínate no emocionarte con las cosas de Dios!
- Y ser *tibio* significa ser indiferente. ¡Imagínate ser indiferente con Dios!
- Aun así, la tercera temperatura del corazón es la que debes tener para ser una mujer conforme al corazón de Dios. Debes tener el corazón *ardiente*, lo cual quiere decir que el calor de tu corazón y de tu emoción alcanza una alta temperatura. ¡Esto significa rebosar!

> Y una temperatura tan alta, casi siempre, se asemeja a la actividad violenta, la emoción y la pasión. ¡Es acalorarse! Como he dicho, este es el corazón de alguien, ¡tú!, que está consagrado a Dios.

Ahora bien, ¿cuál es el deseo de tu corazón... y la temperatura de tu corazón hacia Dios?

## Respuesta del corazón

¿Estás ahí, mi querida amiga? ¿Está tu corazón acalorado de consagración a Dios como el que acabamos de describir? ¡Si supieras cómo oro para que así lo sea! Con todo, si no has llegado a ese grado, o si no estás segura de cómo llegar, considera estos consejos que, sin lugar a duda, subirán la temperatura de tu corazón.

*Primer paso*: ¿Necesitas recibir a Jesucristo como tu Salvador personal? Ya sabes, este es el paso del comienzo a fin de convertirte en una mujer conforme al corazón de *Dios*. Quizá tengas que hacer una oración sincera similar a esta:

> Dios, quiero ser tu hija, una verdadera mujer conforme a tu corazón: una mujer que viva su vida en ti, por medio de ti y para ti. Reconozco mis pecados y defectos, mi fracaso en vivir según las normas que estableciste en tu Palabra, la Biblia, y recibo a tu Hijo Jesucristo en mi necesitado corazón, dándote gracias por su muerte en la cruz por mis pecados. Gracias por darme tu gracia y tu fuerza para ir tras tu corazón.

*Segundo paso*: ¿Necesitas ser más fiel a la hora de apartar un tiempo diario para escuchar a Dios, como hizo María, para leer tu Biblia? ¿Para orar? Esta puede y debe ser una máxima prioridad cada día. Así es como tú y yo, sin importar cuál sea nuestra edad, tomamos la misma decisión de María. Así es como escogemos la *única* cosa, la *buena* parte, que nunca nos quitarán. A medida que optamos por sentarnos a los pies del Señor con regularidad, dejamos de actuar como Marta: demasiado ocupada, demasiado mandona, demasiado distraída como para escuchar al Maestro y unirse a Él y deleitarse en Él.

Ahora bien, ¿cuál va a ser hoy tu elección? ¿Y mañana? ¿Y cada día? ¡Estoy orando por ti!

## Cosas que podemos hacer hoy para desarrollar un corazón consagrado a Dios

♡ Piensa en al menos tres maneras en las que puedas sacar tiempo de tu apretado día para «la relación más emocionante y satisfactoria en la vida». ¿Cómo aseguras un tiempo para escuchar a Dios, para pasar tiempo con Él, para permitirle que invada tu vida?

♡ Memoriza el poema de abajo y úsalo para que te ayude a escoger los caminos de Dios en las situaciones que enfrentas cada día.

> Bueno, mejor, excelente,
> nunca descanses
> hasta que tu bueno sea mejor,
> y tu mejor, excelente.

♡ Haz hoy, y cada día de esta semana, una dedicación definitiva y audible de ti misma a Dios.

## ¿Te gustaría saber más? Echa un vistazo

✓ Lee en tu Biblia la historia de Marta y María en Lucas 10:38-42. Describe la escena. Observa quién estaba ahí y qué estaba pasando.

✓ A continuación, haz un estudio del carácter de Marta. Subraya o enumera las palabras que describen la conducta de Marta. Observa también sus palabras: a quién le habló y qué dijo.

✓ Luego haz un estudio del carácter de María, haciendo énfasis en las palabras que describen su conducta.

✓ Compara las dos hermanas. ¿Qué diferencias encuentras en sus palabras, acciones, actitudes, posturas e interacción con Jesús?

✓ Después pregúntate: ¿Estoy muy ocupada «sirviendo» a Jesús... o sentándome a sus pies? ¿Estoy encarándome con los demás... o estoy escuchando a mi Salvador? ¿Estoy preocupada por los asuntos de la vida... o estoy adorando al Señor? ¿Estoy sin descanso... o estoy descansando en Dios? ¿Qué cambios debo hacer para desarrollar un corazón consagrado a Dios?

✓ ¿Qué dice Proverbios 31:30 sobre la importancia de mantener tu relación con Dios?

# 2

# Un corazón que ama la Palabra de Dios

*[Tú] serás como un árbol plantado*
*junto al agua que extiende sus raíces hacia la corriente.*
JEREMÍAS 17:8

Aún recuerdo el día en que mi esposo, Jim, y yo plantamos trece hiedras de enredaderas en nuestro jardín, con la esperanza de que esas plantitas un día crecieran y se hicieran lo bastante fuertes y grandes como para que cubriera nuestra desnuda y horrible pared de cemento.

Pues bien, unos tres meses después mi sueño comenzó a ser realidad... excepto por una de las plantas, ¡que estaba muerta por completo! Así que Jim se puso a trabajar. Compró una planta nueva para sustituirla, sacó su pala, se agachó junto a la enredadera muerta, y cuánta fue su sorpresa al ver que estaba comenzando a brotar del suelo. Enseguida, Jim se dio cuenta de cuál era el problema. ¡Esa planta no había crecido porque no tenía raíces! Aunque la planta había disfrutado de todas las condiciones apropiadas por encima del suelo, algo le faltaba por debajo de la superficie de la tierra. Esta planta carecía de las raíces, parte vital para obtener los nutrientes necesarios y la humedad que le proporciona la tierra.

¡Qué cuadro este para ti y para mí! Como mujeres conforme al corazón de Dios, queremos crecer en Cristo. Sin embargo, como cualquier tipo de planta, debemos preocuparnos de tener unas raíces fuertes y sanas. El deseo de nuestro corazón es:

crecer... no caer
prosperar... no morir
florecer... no marchitarnos

Por lo tanto, debemos preocuparnos de desarrollar un sistema de raíces que se arraiguen profundas en el Señor y en su Palabra, la Biblia. Debemos pasar un tiempo de forma voluntaria y específica en la Palabra de Dios, leyéndola, apreciándola y (sobre todo) siguiéndola. Esta práctica será determinante en tu vida, ¡al igual que en la mía!

## *Las raíces son invisibles*

¿Dónde se desarrollan y crecen las raíces? Sabemos la respuesta, ¿verdad? Crecen bajo tierra. Por lo tanto, quiero retarte a que desaparezcas de la escena pública durante un período cada día. Quiero animarte a que desaparezcas de delante de tus amigas durante un ratito cada día, y quiero invitarte a que te deshagas de las distracciones de la televisión y de Internet para pasar un tiempo a solas. ¿Por qué? Pues con el fin de atender a tu vida privada, tu vida oculta, la vida secreta que disfrutas con Dios. Cuando tú y yo somos fieles en hacer esto cada día, ¡vaya si se nota la diferencia!

A pesar de eso, lo hacemos todo al revés. ¡Creemos que la vida cristiana consiste en gente, gente y más gente! Es más, parece que siempre estamos con gente: en casa, en la escuela (y después de la escuela), en la iglesia... y la lista de gente sigue. Sin embargo, aquí tenemos un principio:

> Cuanto mayor sea la proporción de tu día, de tu vida, que pases a solas meditando, reflexionando,

en oración [en estudio], programando y preparando, mayor será la eficiencia, el impacto, el poder de la parte de tu vida que se ve[3].

## *Las raíces son para sustentar*

¿Qué ocurre cuando tú y yo nos apartamos para estar con Dios en el estudio y la oración? Recibimos. Nos sustentamos. Nos nutrimos y alimentamos. Aseguramos nuestra salud y crecimiento espiritual. Cuando pasamos tiempo con Cristo, Él nos suple de fuerza y nos anima a seguir en la búsqueda de sus caminos.

A este tiempo con Dios le llamo «el gran intercambio». Apartada del mundo y oculta de la vida pública, intercambio...

mi cansancio por su fuerza,
mi debilidad por su poder,
mi oscuridad por su luz,
mis problemas por sus soluciones,
mis cargas por su libertad,
mis frustraciones por su paz,
mi agitación por su calma,
mis esperanzas por sus promesas,
mis aflicciones por su bálsamo consolador,
mis preguntas por sus respuestas,
mi confusión por su conocimiento,
mi nada por su grandeza,
mi vacío por su plenitud,
lo temporal por lo eterno, y
¡lo imposible por lo posible!

## *Las raíces son para almacenar*

Las raíces sirven como reserva de lo que necesitamos. Cuando nos detenemos (como lo hizo María en el capítulo anterior) y ahondamos con regularidad nuestras raíces en la Palabra de

Dios, en sus ríos de agua viva, comenzamos a recoger su agua que da vida. Entonces, ¿qué ocurre?

La Palabra de Dios comienza a crear en nosotras un depósito de esperanza y fuerza en Él. Luego, cuando llegan los momentos duros y las dificultades (como cuando tus compañeras de clase se ríen de tu compromiso con Dios... o cuando te sientes tentada a rendirte al pecado o a cometerlo... o cuando una amiga tuya deje de serlo o te critique a tus espaldas... o cuando haya tensión en tu hogar), ni a ti ni a mí nos destruirán. No nos secaremos, ni nos desintegraremos, ni moriremos. No nos quedaremos sin fuerzas, no quedaremos exhaustas, ni nos daremos por vencida.

Y he aquí otra cosa maravillosa que ocurre. Debido al depósito, cuando vengan los problemas (y Jesús dijo que vendrían, ¡lee Juan 16:33!), podemos echar mano a nuestro depósito de fuerza escondida y usar lo que Dios nos ha dado. ¡Lo que necesitemos estará disponible en ese mismo momento! Como escribió el salmista sobre el pueblo de Dios, podremos ir de «poder en poder» (Salmo 84:7, RV-60). Sí, no cabe duda, cuando llegan los momentos difíciles, necesitamos raíces profundas en las verdades de Dios.

## *Las raíces son para sostener*

He aquí otra razón para que te asegures de pasar tiempo en la Palabra de Dios. Sin unas raíces bien desarrolladas, tú y yo podemos llegar a estar «inestables». Este es un término que se usa para describir una planta que tiene mucho follaje por encima de la tierra, pero nada que la sostenga debajo de ella. En otras palabras, tan solo hay unas pocas raíces muy ligeras que no bastan para mantenerla erguida. Por lo tanto, cuando llegan los tiempos difíciles (y recuerda, ¡llegarán!) y los vientos de la adversidad comienzan a soplar (¡y lo harán!), nos venimos abajo. Sin unas raíces fuertes, nos tienen que apuntalar, atar, apoyar y fortalecer... hasta que venga otro viento, ¡y nos tengan que volver a hacer lo mismo!

¿Quieres estar firme y fuerte en el Señor? Entonces tienes que cultivar unas raíces fuertes y saludables. Esto es lo que quiero para ti y para mí.

En épocas pasadas se usaba un proceso para hacer crecer los árboles que llegarían a ser los mástiles principales de los barcos militares y de mercancías. Los grandes constructores seleccionaban primero un árbol situado en la cima de una alta colina como un mástil en potencia. Después talaban todos los árboles circundantes que le sirvieran de escudo ante la fuerza del viento. A medida que pasaban los años y los vientos soplaban con furia contra el árbol, este se iba fortaleciendo cada vez más hasta que, al final, estaba lo suficiente fuerte como para ser el mástil principal de un barco[4].

## ✎ De la Palabra de Dios para tu corazón...

Hagamos ahora una pausa para leer los versículos a continuación. Varios de ellos describen las características de una planta (o en nuestro caso, una mujer), cuyo corazón está arraigado en la Palabra de Dios. A medida que vayas leyendo, piensa en varias cosas que vengan a tu mente y tu corazón de estos pintorescos versículos, así como la resistencia dibujada en cada uno de ellos.

> *Dichoso el hombre que no sigue el consejo de los malvados, ni se detiene en la senda de los pecadores ni cultiva la amistad de los blasfemos, sino que en la ley del Señor se deleita, y día y noche medita en ella. Es como el árbol plantado a la orilla de un río que, cuando llega su tiempo, da fruto y sus hojas jamás se marchitan. ¡Todo cuanto hace prospera!* (Salmo 1:1-3).

*Bendito el hombre que confía en el Señor, y pone su confianza en él. Será como un árbol plantado junto al agua, que extiende sus raíces hacia la corriente; no teme que llegue el calor, y sus hojas están siempre verdes. En época de sequía no se angustia, y nunca deja de dar fruto.* (Jeremías 17:7-8).

*El Señor te guiará siempre; te saciará en tierras resecas, y fortalecerá tus huesos. Serás como jardín bien regado, como manantial cuyas aguas no se agotan.* (Isaías 58:11).

*Nos vemos atribulados en todo, pero no abatidos; perplejos, pero no desesperados; perseguidos, pero no abandonados; derribados, pero no destruidos.* (2 Corintios 4:8-9).

## *Sí, ¿pero cómo?*

Y ahora, *¿cómo* se acerca una mujer al corazón de Dios? *¿Cómo* podemos tú y yo situarnos en una posición en la que Dios nos haga crecer a fin de que seamos mujeres de extraordinaria resistencia?

1. *Desarrolla el hábito de acercarte a Dios*: Observa los hábitos de estos hombres de extraordinaria resistencia. Piensa en lo que puedes aprender de cada uno de ellos.

Abraham: *Al día siguiente Abraham madrugó y regresó al lugar donde se había encontrado con el SEÑOR* (Génesis 19:27).

David: *Por la mañana, SEÑOR, escuchas mi clamor; por la mañana te presento mis ruegos, y quedo a la espera de tu respuesta* (Salmo 5:3).

Jesús: *Muy de madrugada, cuando todavía estaba oscuro, Jesús se levantó, salió de la casa y se fue a un lugar solitario, donde se puso a orar* (Marcos 1:35).

Ahora es tu turno, amiga. ¿Puedes decir que tu hábito de acercarte a Dios está bien arraigado? ¿O es algo que casi siempre se improvisa en el momento que surge la necesidad?

2. *Programa un tiempo personal para acercarte a Dios*: Si eres como la mayoría de las mujeres ocupadas, joven o mayor, tu tiempo con el Señor quizá necesitaría algo de ayuda. Así que vamos a programar un tiempo mejor. (¿Te acuerdas?: «Bueno, mejor, excelente...»).

   *¿Cuándo?* ¿Observaste que los tres hombres que vimos antes tenían un *tiempo* en el que se encontraban con Dios? Al revisar tu vida diaria y mirar en tu corazón, ¿cuál crees que sería la mejor hora para ti? O dicho de otra manera, ¿cuándo te gustaría tenerlo?

*¿Dónde?* ¿Y te diste cuenta que cada una de estas personas de Dios tenía un *lugar* para encontrarse con Dios? ¿Tienes tú un lugar? Si no es así, ¿dónde te gustaría tener este encuentro?

*¿Qué herramientas?* Las herramientas apropiadas harán que tu *tiempo* con Dios en tu *lugar* sea más productivo, eficiente y significativo. Por ejemplo, yo me llevo la Biblia, el marcador rosa y mi diario personal a mi *lugar* en mi *tiempo*. Algunas veces llevo mi libro devocional favorito. Y a veces hasta me llevo algún libro de texto para consultar cierto tipo de información (un diccionario, un comentario bíblico). Piensa cómo vas a colocar las cosas en tu *lugar*, de modo que la próxima vez que tengas tu *tiempo* devocional allí, todo lo que necesitas esté a mano.

3. *Especifica tu progreso diario*: ¡Una imagen vale más que mil palabras! Es por eso que te pido que hagas lo mismo que yo. Comienza hoy mismo a usar el gráfico que hay al final de este libro: «Calendario de devocionales» para registrar el progreso de tu vida devocional. Tan solo colorea o marca los días que te reúnas con Dios y leas su Palabra. Luego, con un vistazo rápido, sabrás lo bien que va tu intento de ser una mujer que ama la Palabra de Dios. (Encontrarás este gráfico en las páginas 198-199).

## Respuesta del corazón

He aquí algo más en qué pensar a medida que intentas amar, incluso más, la Palabra de Dios: si alguien te pidiera que describieras el tiempo devocional que tuviste esta mañana, ¿qué le dirías?

Esta es con exactitud la pregunta que Dawson Trotman, fundador de la organización ministerial *The Navigators* [Los navegantes], solía hacer a los jóvenes que querían entrar a trabajar en su ministerio. A decir verdad, una vez estuvo cinco días entrevistando a los candidatos para un servicio misionero en el extranjero. Pasó media hora con cada uno, preguntando de forma específica cosas de su vida devocional. Es triste, pero solo una persona de las veintinueve entrevistadas dijo que su vida devocional era algo constante en su vida, una fuente de fuerza, dirección y refrigerio. A medida que Trotman seguía indagando en las vidas de estos hombres y mujeres que planeaban pasar una vida de servicio a Dios, descubrió que no habían tenido nunca, desde que conocieron al Señor, una sólida vida devocional[5].

Ahora bien, mi querida amiga lectora, ¿cómo iría tu entrevista sobre *tu* vida devocional? ¿Qué respuestas darías? Ahora haz en tu corazón la pregunta del señor Trotman.

Y si tu respuesta no es todo lo buena que quisieras, ¿qué puedes hacer en este mismo instante para fijar tu vida y el patrón de tus días en una nueva dirección, una dirección que te asegure tu crecimiento en tu amor por la Palabra de Dios? Después de todo, como dice el viejo dicho: «Cada viaje comienza con un solo paso». ¡Y esto incluye tu viaje para convertirte en una mujer conforme al corazón de Dios!

## Cosas que podemos hacer hoy para desarrollar un corazón que ame la Palabra de Dios

♡ ¿Ya escogiste un tiempo para estar con Dios? Si no, hazlo ahora mismo. Después, escoge un lugar para estar a solas con Dios.

♡ Haz una lista de las herramientas que vas a necesitar para tu lugar. Luego pon allí esas herramientas para que mañana estés lista para encontrarte con Dios.

♡ Si no sabes qué estudiar, ¿puedo sugerirte uno de los estudios de mi serie de estudios bíblicos de *Una mujer conforme al corazón de Dios*? Estos divertidos estudios se crearon para que mujeres ocupadas (¡como tú!) puedan hacerlos en unos quince minutos al día. Cada uno de ellos se seleccionó porque se centra en ser una mujer, en las vidas de las mujeres de la Biblia y en nuestro papel como mujeres.

## ¿Te gustaría saber más? Echa un vistazo

✓ Lee el Salmo 1:1-3. Haz una lista de las acciones del hombre, o la mujer, que tiene el corazón arraigado en la Palabra de Dios. Observa lo que hace y lo que no. ¿Cuáles son los resultados de este amor por la Palabra de Dios? ¿Tienes que hacer algún cambio hoy mismo?

✓ Haz lo mismo con Jeremías 17:7-8. Aquí hay un cuadro de la salud y el crecimiento espiritual. Escribe las acciones de la persona bendecida. Nota las duras condiciones y los síntomas de salud y fuerza. Después enumera los indicadores y beneficios de la salud y el crecimiento espiritual. ¿Hay algún cambio que tengas que hacer hoy mismo?

✓ Lee 2 Corintios 4:8-9. El apóstol Pablo era un hombre conforme al corazón de Dios, que sin cesar obtenía fuerza de Dios cuando aumentaban las presiones de la vida. Sin embargo, Pablo, al igual que ese gran mástil principal del barco del que hablamos antes, se mantuvo firme. Gracias a la Palabra de Dios, las verdades de Dios, la fuerza de Dios y la gracia de Dios para su vida, ¿de qué pudo testificar Pablo? ¿Hay algún cambio que debas hacer hoy para arraigar tu corazón y tu vida en la Palabra de Dios a fin de que logres obtener también esta misma clase de fuerza conforme caminas por la vida?

## 3

# Un corazón comprometido a orar

PRIMERA PARTE

*Jesús les contó a sus discípulos una parábola para mostrarles que debían orar siempre, sin desanimarse.*
LUCAS 18:1

¡Me gustaría saber más acerca de ti, mi preciosa amiga! Me gustaría saber dónde vives, cómo es tu cuarto (y el *lugar* en el que te reúnes con Dios), cómo eres tú, cómo es tu familia, cuáles son algunas de las cosas favoritas que te gusta hacer.

Sin embargo, en este preciso instante, me gustaría saber cuántos años tienes. ¿Por qué? Pues porque yo tomé una decisión muy importante con respecto a convertirme en una mujer conforme al corazón de Dios cuando tenía treinta y ocho años de edad, ¡y estoy orando para que estés en el *camino* delante de mí en hacer tal decisión! Sí, estoy contenta de que seas mucho más joven que yo, y espero que hayas avanzado mucho más en tu crecimiento espiritual de lo que estaba yo en ese entonces.

De cualquier modo, yo tomé esa importante decisión cuando cumplí diez años en el Señor. (¡Y, de nuevo, espero que en el *camino* estés delante de mí!) Ese día tuve mi devocional, mi tiempo a solas con Dios. Después de pasar unos minutos dándole gracias por su Hijo y por la salvación de mi alma, me atreví a avanzar en mis pensamientos. Mi oración fue: «Señor, ¿qué ves que falta de mi vida cristiana? ¿Qué necesita atención mientras empiezo una nueva década contigo?».

Pues bien, antes de añadirle el signo de interrogación final a mi sincera oración de búsqueda interna, parecía que Dios me respondiera de inmediato al llamar a mi mente a un campo de gran lucha y fracaso personal: ¡mi vida de oración!

Ah, había tratado de orar. Sabía que la Palabra de Dios decía que debía hacerlo. Con todo, cada nuevo intento duraba, cuanto más, solo unos pocos días. Y luego volvía atrás donde comencé, susurrando algo como: «Dios, bendícenos a mí y a mi familia hoy». ¡Claro que había intentado orar!

No obstante, en ese décimo cumpleaños espiritual escribí el siguiente compromiso con Dios:

> Me propongo y me comprometo a pasar los próximos diez años (si Dios quiere) desarrollando una significativa vida de oración.

Mi querida amiga, esas palabras, dichas con un corazón ferviente, me llevaron a un cambio radical de mi vida entera: ¡cada parte, persona y propósito de ella! Y quiero contarte tan solo unas cuantas bendiciones de oración que se hicieron mías. Así que, ¡anímate! Estas bendiciones también pueden ser tuyas.

### *Bendición #1: Una relación más profunda con Dios*

Cuando tú y yo pasamos un tiempo diario, regular, sin prisas, en oración con Dios, experimentamos una relación más profunda con Él. Y de muchas maneras crecemos en lo espiritual. He aquí solo algunos ejemplos.

*La oración aumenta la fe*: Había oído que una buena manera para crecer en fe en Dios era tener una lista de oración. Así que comencé a escribir una lista de oración. Con mi lista en mano, comencé a preocuparme por la familia, las amigas y por mí misma cada día. Estaba sorprendida de cómo, por primera vez en la vida, ¡me daba más cuenta de la forma en que Él contestaba uno a uno los asuntos! Y, por supuesto, con cada día, cada tiempo de oración y cada respuesta crecía mi fe en Dios.

*La oración brinda un lugar para deshacerse de las cargas*: ¿Cuál es tu problema número uno hoy? ¿Y qué otros problemas presionan tu vida? Hoy, ahora mismo en realidad, a una de mis mejores amigas la están operando de cáncer. Estoy a más de mil seiscientos kilómetros de distancia, incapaz de estar con ella ni de ayudarla de alguna manera. ¡Mi corazón está cargado y ansioso! Con todo, por medio de la oración hago lo que nos dice la Biblia: Estoy «depositando» mi problema y mi carga en mi Padre celestial (1 Pedro 5:7). Sé que cuando hago esto, cuando hago lo que Dios dice que haga con las preocupaciones de mi vida y de las vidas de mis amigas, pongo mis problemas imposibles en sus manos capaces, Dios se encargará de ellos... como solo Él puede hacerlo.

Cuando tú y yo comenzamos cada día entregándole a Dios todas las preocupaciones de nuestra vida en oración, logramos levantarnos aliviadas, libres de muchas cargas pesadas. La autora y compañera de oración Corrie ten Boom ofrece una viva imagen de este privilegio. Escribe:

De igual modo que un camello
se arrodilla ante su amo para que le quite
su carga, arrodíllate y deja
que el Maestro tome tu carga[6].

También me gusta este consejo dado por un poeta en una escena entre el Señor y unos de sus hijos. No sé quién lo escribió, ¡pero lo dice todo!

Pero una cosa debes recordar,
Esta única cosa debes conocer...
Yo no puedo tomar tu carga
Hasta que tú no la sueltes.

*La oración nos enseña que Dios está siempre cerca*: ¿Qué puedes hacer cuando golpean los problemas? O sea, ¿problemas como una tragedia, una catástrofe o un desastre? Pues bien, mi amiga, yo tuve la oportunidad de saberlo el 17 de enero de 1994, a las 4:31 de la mañana, cuando un devastador y asesino terremoto de 6,8 sacudió nuestra casa de California. Estaba sola en casa, y lo único que recuerdo es que intentaba salvar mi vida saliendo de la casa. Y, a medida que gritaba a Dios mientras me tambaleaba yendo hacia la puerta principal, con nuestra casa literalmente doblándose y resquebrajándose bajo mis pies, de lo profundo de mi corazón y mi alma llegó la confirmación de Dios de su presencia. Y vino de un pasaje de la Biblia (Salmo 46:1-2) que planté allí al memorizarlo.

*Dios es nuestro amparo y nuestra fortaleza,*
*nuestra ayuda segura en momentos de angustia.*
*Por eso, no temeremos...*

(Y, a propósito, da la casualidad que el resto de este pasaje y el siguiente versículo se parece a esto: ¡«Aunque se desmorone la tierra y las montañas se hundan en el fondo del mar; aunque rujan y se encrespen sus aguas, y ante su furia retiemblen los montes»! ¡Para mí, esto se parece mucho a un terremoto!).

Amada hermanita, mientras más oremos tú y yo, ¡más recordaremos la poderosa presencia de Dios en tiempos de necesidad! Un hombre lo dijo de esta manera: «El propósito de la oración es revelar la presencia de Dios que está igualmente presente todo el tiempo en todas las situaciones»[7].

*La oración nos prepara para no aterrorizarnos*: Jesús dijo que no deberíamos desanimarnos, ni rendirnos, ni tener miedo. No, dijo que oráramos (mira Lucas 18:1). En otras palabras, no nos tenemos que rendir, hundir ni derrumbar ante la presión. Por el contrario, debemos perseverar. Volverte a Dios en cada necesidad durante tu tiempo de oración diario arraigará en ti el hábito de la oración, el cual puede sustituir tu tendencia natural al temor ante la primera señal de cualquier problema.

*La oración cambia vidas*: Es probable que hayas oído que «la oración cambia las *cosas*». Sin embargo, querida, ¡una vez que desarrolles una vida de oración más regular descubrirás que «la oración te cambia *a ti*»!

## ✎ De la Palabra de Dios para tu corazón...

¡Vaya! ¡Mira de cuántas maneras podemos crecer tú y yo en nuestra confianza y conocimiento en Dios cuando oramos! ¡Qué buenas noticias! Ahora bien, quiero que veas por ti misma lo que Dios tiene que decir sobre el disfrute de una relación con Él más profunda mediante la oración. Interactúa con estas enseñanzas de la Biblia. Observa las instrucciones que te da... directo de la Palabra de Dios hacia tu corazón. Y mientras estás en esto, piensa en algo que puedas hacer a fin de poner en práctica estas poderosas verdades y promesas con relación a los asuntos de tu vida hoy, mañana y todos tus futuros mañanas.

> *Jesús les contó a sus discípulos una parábola para mostrarles que debían orar siempre, sin desanimarse* (Lucas 18:1).

> *Depositen en él toda ansiedad, porque él cuida de ustedes* (1 Pedro 5:7).

*Dios es nuestro amparo y nuestra fortaleza, nuestra ayuda segura en momentos de angustia. Por eso, no temeremos* (Salmo 46:1-2).

*A las montañas levanto mis ojos; ¿de dónde ha de venir mi ayuda? Mi ayuda proviene del SEÑOR, creador del cielo y de la tierra* (Salmo 121:1-2).

*Clama a mí y te responderé, y te daré a conocer cosas grandes y ocultas que tú no sabes* (Jeremías 33:3).

Gracias por tomarte el tiempo de leer los versículos anteriores. Espero (¡y oro!) que estos versículos te hayan dado una mejor idea de lo que he estado diciendo sobre la bendición de tener una relación más profunda con Dios a través de la oración. Sin duda, somos bendecidas al disfrutar del privilegio de la oración, de conversar con el Dios Todopoderoso. Que tu corazón tenga el ánimo de orar. Y que tus oraciones se eleven siempre a nuestro gran Dios de modo que...

aumente tu fe,

te deshagas de tus cargas,

seas más consciente de la presencia de Dios,

tengas menos tendencia al temor cuando surjan los problemas, y

cambies y te transformes a la imagen del amado Hijo de Dios y tu Salvador, ¡Jesucristo!

## Respuesta del corazón

Sé que hemos empleado mucho tiempo en esta bendición (a decir verdad, ¡todo un capítulo!). Aun así, ¿acaso no fue revelador asimilar tan solo unas cuantas formas en que la disciplina de oración diaria nos ayuda a crecer en el espíritu? ¿Y no estás de acuerdo en que tu relación con Dios es de vital importancia? Al fin y al cabo, tú, al igual que yo, queremos ser una mujer conforme a *su* corazón, ¡y en realidad es increíble que tú y yo logremos disfrutar de una relación con el Dios del universo! ¡Es en verdad por su gracia!

Así que ahora, querida, te invito a hacer un compromiso similar al mío. Y, mientras lo haces, ¡Agradécele mucho a Dios que no tienes treinta y ocho años como yo cuando hice mi compromiso! Esto quiere decir que tienes de veinte a veinticinco años de ventaja sobre mí. ¡Estoy felicísima por ti!

Y te tengo más buenas noticias. Cuando decidí aprender más sobre el increíble privilegio de la oración, todo lo que me esperaba era una penosa y tediosa labor. Sin embargo, a medida que avanzaba en mi compromiso de desarrollar una vida de oración significativa, me sorprendieron las bendiciones que comenzaron a aparecer en mi corazón. Como nos dice mi himno favorito: «¡Bendiciones, cuántas tienes ya!». Y, querida amiga, como dije, ¡estas son solo algunas!

Ahora, escribe tu propio compromiso para desarrollar una vida de oración. Después vayamos al siguiente capítulo para ver más bendiciones que aparecerán en nuestro camino a medida que oramos.

## Mi compromiso a orar

## Cosas que podemos hacer hoy para desarrollar un corazón comprometido a orar

♡ ¿Hiciste tu compromiso personal de orar? Si no es así, ¿por qué? No es demasiado tarde para hacerlo. Solo recuerda que el *deseo* es la mitad de la victoria, y tu oración de compromiso es una expresión de tu deseo de convertirte en una mujer de oración.

♡ Ahora que ya hiciste ese compromiso (lo hiciste, ¿verdad?), toma una hoja de papel, puede ser una de tu cuaderno o calendario, y haz una lista de las personas por las que quieres orar. La próxima vez que ores, léele en voz alta el nombre de cada persona a Dios. Después dile lo que hay en tu corazón sobre cada una de ellas. Sigue adelante con tu lista mientras el tiempo te lo permita.

♡ Empieza otra lista de oración con tus propias preocupaciones: tu problema número uno, algunas decisiones que debas tomar, algún comportamiento que debas corregir, algún temor que esté intentando robarte el gozo en el Señor. Luego ora... en lugar de rendirte a estas presiones.

## ¿Te gustaría saber más? Echa un vistazo

✓ ¿Qué te dice Mateo 7:7-8 que hagas y qué promete como resultado?

✓ Cuando se trata de orar (y esperar y ser paciente), ¿qué nos aconseja Romanos 12:12?

✓ ¿Cómo tienes paz y vives libre de ansiedades, según Filipenses 4:6-7?

✓ Según Colosenses 4:2, ¿qué fidelidad deberían tener los cristianos, y tú, en el aspecto de la oración?

✓ Para la receta de una vida maravillosa, ¡lee 1 Tesalonicenses 5:16-18!

✓ ¿Qué dice Hebreos 4:16 sobre cuál debería ser tu actitud cuando oras... y cuáles son las bendiciones resultantes?

✓ En caso de que no te decidas a orar, ¿qué promesa vemos en 1 Pedro 3:12?

# 4

# Un corazón comprometido a orar

SEGUNDA PARTE

*La oración del justo es poderosa y eficaz.*
SANTIAGO 5:16

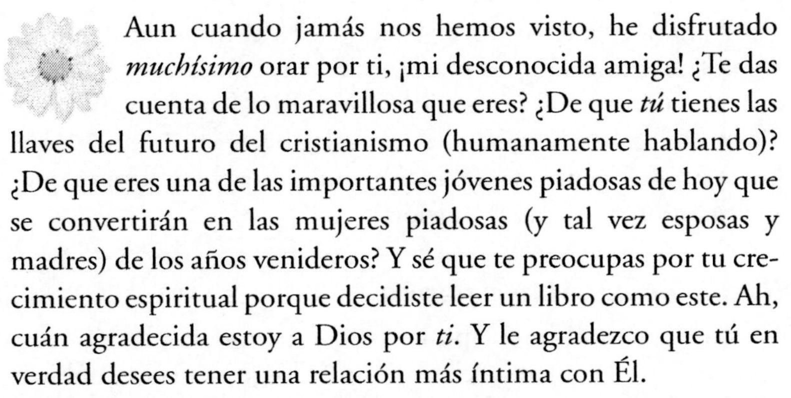

Aun cuando jamás nos hemos visto, he disfrutado *muchísimo* orar por ti, ¡mi desconocida amiga! ¿Te das cuenta de lo maravillosa que eres? ¿De que *tú* tienes las llaves del futuro del cristianismo (humanamente hablando)? ¿De que eres una de las importantes jóvenes piadosas de hoy que se convertirán en las mujeres piadosas (y tal vez esposas y madres) de los años venideros? Y sé que te preocupas por tu crecimiento espiritual porque decidiste leer un libro como este. Ah, cuán agradecida estoy a Dios por *ti*. Y le agradezco que tú en verdad desees tener una relación más íntima con Él.

Hay una joven en la Biblia que me recuerda a ti. Es María, la que se convirtió en madre de nuestro Señor Jesucristo. Quizá ya sabías que María tenía unos catorce años de edad cuando Dios envió a su ángel Gabriel para que le hablara (Lucas 1:26-38). ¿Qué sabemos sobre María en ese preciso momento de su vida? Sabemos que...

estaba del todo comprometida a hacer la voluntad de Dios para su vida (versículo 38).

Dios la favoreció en gran medida (versículos 28 y 30).

era virgen (versículos 27 y 34).

Algo que en realidad me encanta de María es su vida de oración. Es más, su vida de oración era tan sorprendente que Dios usó a María, una jovencita de catorce años, ¡una adolescente!, para enseñarles a todas las mujeres cristianas a través de los siglos cómo orar. María en verdad tenía esa profunda relación con Dios de la que hablamos en el capítulo anterior. Y sin duda su relación se desarrolló en parte a medida que oraba a su Padre celestial. Tú y yo podemos aprender mucho sobre la oración leyendo lo que se llama «El Magnificat de María» o «El cántico de María» en Lucas 1:46-55. Lo primero que nos impresiona en el Cántico de María es que cuando ella abrió su boca para orar, las primeras palabras que salieron fueron: «Mi alma glorifica al Señor, y mi espíritu se regocija en Dios mi salvador» (versículos 46-47).

Y ahora es nuestro turno, querida. Es el momento de que aprendamos más sobre la oración y sobre cómo desarrollar aun más un corazón comprometido a orar. Para repasar, ya hemos dicho que la bendición #1 es una relación más profunda con Dios. Ahora sigamos y miremos algunas otras bendiciones que son nuestras mediante la oración.

## *Bendición #2: Mayor pureza*

En nuestro último capítulo mencioné que la oración nos cambia. Y ahora quiero decir que uno de los principales cambios que nos aporta la oración es una mayor pureza. Ser más como Cristo es un proceso de crecimiento espiritual que requiere lidiar con el pecado. Y tomarse en serio la confesión de los pecados durante el tiempo de oración acelera el proceso, haciendo que purifiquemos nuestra vida de prácticas que no son agradables a los ojos de Dios.

Por mi propia vida sé que esto es cierto. ¿Cómo? Debido a que era capaz de identificar una seria esfera de pecado en mi vida diaria, un hábito que *sabía* iba en contra de la Palabra de Dios. Tanto en 1 Timoteo 3:11 como en Tito 2:3 (DHH) Dios dice (¡en blanco y negro!) que sus mujeres no deben ser chismosas. Y (¡adivina qué!) yo tenía un terrible problema con el chisme.

Con todo, ¡también hay buenas noticias! El verdadero cambio comenzó cuando empecé a no solo orar por los chismes, sino a confesar que era pecado cada vez que lo hacía. Comencé a reconocer ante Dios (¡y admitir ante mí misma!) que esta práctica era contraria a su Palabra, que era dañina para su pueblo y para otros, y que no tenía cabida en mi vida como hija de Dios. Ahora bien, no me malentiendas, todavía tengo mis luchas, ¡pero créeme si te digo que no soy la misma mujer chismosa que solía ser! La purificación, purgar mi vida de un pecado grave, se llevó a cabo, en parte, debido a que enfrentaba mi pecado con regularidad en la oración. En otras palabras, la convicción de pecado me llevó a la confesión... lo cual me llevó a purgar... lo cual me condujo a una mayor pureza.

## ✎ *De la Palabra de Dios para tu corazón...*

Ahora que te he hablado un poco sobre uno de mis problemas, veamos lo que dice la Palabra de Dios sobre purificarnos de prácticas que no son agradables ante sus ojos. Observa lo que este versículo nos enseña como mujeres conforme al corazón de Dios sobre una mayor pureza.

> *Si confesamos nuestros pecados, Dios, que es fiel y justo, nos los perdonará y nos limpiará de toda maldad* (1 Juan 1:9).

Ahora, haz lo mismo que yo (y que aún hago). Identifica una práctica en tu vida que sabes que no le agrada a Dios, una práctica o hábito que es, en sí, opuesto por completo a su Palabra. Pon esa acción pecaminosa en la parte de arriba de tu lista de oración, y luego ora por esto... cada día. (¡Ora por esto cada minuto de cada día, si es necesario!) Y confiésale a Dios cuando falles. Pídele a Dios que te ayude a crear un plan de acción a fin de eliminarlo de forma radical de tu vida. ¡Sé tajante! ¡Sé decidida! Sé cualquier cosa que debas ser y haz todo lo que debas hacer a fin de dirigirte hacia tu purificación en este aspecto. Será duro, pero clama a Dios por su ayuda y su gracia para pelear y controlar esta esfera de tu vida. ¡Una mujer conforme al corazón de Dios sacrifica de forma voluntaria sus pecados favoritos por una mayor pureza!

### *Bendición #3: Confianza en la toma de decisiones*

¿Cómo tomas decisiones? Si eres como la mayoría de las mujeres, las tomarás basada en cómo te *sientas* en el momento en que se presente la oportunidad. En otras palabras, tomas decisiones *físicas* y *emocionales*, no *espirituales*. Tiendes a tomar decisiones de acuerdo a tu estado físico y emocional de ese momento, en lugar de esperar para tomar decisiones espirituales, lo cual se hace durante, y después, de la oración.

Pues bien, mi querida amiga, ¡acabo de describirme! Esta es una escena típica de mi vida (antes de que comenzara a orar por mis decisiones). Si se presentaba alguna oportunidad y estaba cansada en ese momento, ¿sabes cuál era mi respuesta? *¡No!* O si estaba tensa y agotada hasta el límite, sin poder más, de nuevo mi respuesta era: *¡no!*

No obstante, aprendí a seguir un patrón de tres pasos que me ayudó mucho a tomar mejores decisiones. (¿Recuerdas? «Bueno, mejor, excelente...»). Aprendí a...

1) *esperar* antes de tomar decisiones a fin de ser capaz de

2) *escribirlas* en mi lista de oración y luego
3) *esperar* hasta recibir la dirección de Dios.

Como resultado, obtuve este principio de oración a la hora de tomar decisiones (¡el cual con mucho gusto lo paso a ti!):

*¡No hacer decisiones sin oración!*

## ✎ De la Palabra de Dios para tu corazón...

Queremos ser mujeres conforme al corazón de Dios, ¿verdad? Pues veamos lo que nos enseñan estos versículos sobre la vida y el corazón de dos devotos siervos de Dios.

> Escucha el informe de Dios sobre el corazón del rey David: *Tras destituir a Saúl, les puso por rey a David, de quien dio este testimonio: «He encontrado en David, hijo de Isaí, un hombre conforme a mi corazón; él realizará todo lo que yo quiero»* (Hechos 13:22).

> Escucha el clamor del corazón del apóstol Pablo: *¿Qué debo hacer, Señor?* (Hechos 22:10).

Ahora bien, ¿cómo crees que 1) *esperar* antes de tomar decisiones de modo que tengas tiempo de 2) *escribir* las decisiones que debas hacer y luego 3) *esperar* la dirección de Dios a través de la oración te ayudaría a hacer buenas, mejores y excelentes decisiones? ¿Y cómo crees que te ayudaría el principio de *no hacer decisiones sin oración*?

### *Bendición #4: Mejora tus relaciones*

¡Qué bendición es la oración! La oración trae como resultado unas mejores relaciones con la gente, ¡con *toda* la gente! ¿Cómo es posible? Porque, a medida que oras por los demás, encuentras que estos principios de oración son ciertos.

- *No puedes pensar en ti y en los demás al mismo tiempo.* (Orar por otros te obliga a pensar en los demás).
- *No puedes odiar a la persona por la que oras.* (La oración es un acto de amor que cambia tu corazón).
- *No puedes olvidar a la persona por la que oras.* (La oración hace que te preocupes más de los demás al llevarlos en tu corazón).

### ✎ *De la Palabra de Dios para tu corazón...*

Mientras pensamos en nuestra vida de oración, tratemos nuestras amistades y relaciones por un minuto o dos. Sé que todas las adolescentes tienen problemas con sus amigas: con el hecho de hacer amigas y de mantenerlas. Como cristiana, sé que quieres tener unas relaciones personales saludables, y eso incluye tus relaciones con tus padres y hermanos y hermanas. Además, todos tenemos relaciones que mantener más allá del círculo familiar, relaciones no solo con nuestras mejores amigas, sino también con las poco amables. ¡Y después hay amistades con «muchachos»!

Sin embargo, cuando oramos por estas relaciones, por todas nuestras relaciones, somos testigos de muchas mejoras. Aquí hay una lista de las principales categorías de relaciones que tal vez llenan tu vida. Observa lo que dice la Biblia sobre ellas y cómo puedes orar en consecuencia.

Padres

*Hijos, obedezcan en el Señor a sus padres, porque esto es justo. «Honra a tu padre y a tu madre, que es el primer mandamiento con promesa, para que te vaya bien y disfrutes de una larga vida en la tierra»* (Efesios 6:1-3). *Hijos, obedezcan a sus padres en todo, porque esto agrada al Señor* (Colosenses 3:20).

Amigos

*No se dejen engañar: Las malas compañías corrompen las buenas costumbres* (1 Corintios 15:33). *Hay amigos que llevan a la ruina, y hay amigos más fieles que un hermano* (Proverbios 18:24).

Novios

*La mujer no casada, lo mismo que la joven soltera, se preocupa de las cosas del Señor; se afana por consagrarse al Señor tanto en cuerpo como en espíritu* (1 Corintios 7:34). *La voluntad de Dios es que [...] se aparten de la inmoralidad sexual; que cada uno aprenda a controlar su propio cuerpo de una manera santa y honrosa [...] Dios no nos llamó a la impureza sino a la santidad* (1 Tesalonicenses 4:3-4, 7).

Enemigos
*Amen a sus enemigos, hagan bien a quienes los odian, bendigan a quienes los maldicen, oren por quienes los maltratan* (Lucas 6:27-28).

Ya sea que oremos por nuestros seres queridos, por nuestras amigas o por nuestros seres menos queridos, un corazón comprometido a orar por los demás será determinante en esas relaciones. Una vez oí de una maestra que les mandó hacer a sus alumnos el siguiente proyecto: Tenían que seleccionar a la persona de la escuela que más mal les cayera. Cada día, durante el siguiente mes, tenían que orar por esa persona y después hacer un gran esfuerzo para hacer algún acto bondadoso por esa persona. Esto fue lo que escribió una jovencita al finalizar el mes:

> Al terminar el mes, mi aversión [por la chica seleccionada] se sustituyó por una mayor compasión y comprensión [...] [Este trabajo] me ayudó a ver cosas de mí misma: mi hostilidad, mi falta de compasión, mi crítica sin antes tratar de comprender las causas del comportamiento que no me gustaba.

Pidámosle a Dios que nos ayude a tener un mayor amor y compasión por los demás. Oremos por otros.

### *Bendición #5: Contentamiento*

¡Vaya, también esto es parte de la oración! ¿Qué hace que raras veces estemos satisfechas? ¿Que nos preocupemos por nuestras vidas? ¿Que parezca como si todo el mundo tuviera lo que nosotros queremos? ¿Que vayamos por el carril lento hacia la popularidad, los logros, el desarrollo, las relaciones, el crecimiento? En verdad, ¡la lista de nuestros desalientos sigue y sigue!

Pues bien, gracias al Señor el contentamiento es nuestro... ¡cuando oramos! Antes de entrar de lleno en lo que Dios nos dice sobre cómo crecer en contentamiento, piensa un minuto en las cosas por las que te preocupas. Si quieres, anótalas aquí abajo.

### ✎ De la Palabra de Dios para tu corazón...

Ahora veamos cómo las pautas de Dios para el contentamiento nos ayudan a ti y a mí a no preocuparnos.

> *No se angustien por el mañana* (Mateo 6:34). *No se inquieten por nada; mas bien, en toda ocasión, con oración y ruego, presenten sus peticiones a Dios y denle gracias. Y la paz de Dios, que sobrepasa todo entendimiento, cuidará sus corazones y sus pensamientos en Cristo Jesús* (Filipenses 4:6-7). *He aprendido a estar satisfecho en cualquier situación en que me encuentre [...] He aprendido a vivir en todas y cada una de las circunstancias [...] Todo lo puedo en Cristo que me fortalece* (Filipenses 4:11-13).

Mira tu propia lista de «preocupaciones». ¿Cómo pondrás en marcha estos principios la próxima vez que te preocupes?

### *Sí, ¿pero cómo?*

¡Sé que hemos abarcado muchas cosas en este capítulo! Y no quiero dejarte sin que tengas algunas maneras muy prácticas de comenzar tu compromiso de orar.

1. Empieza a anotar en un diario de oración tus peticiones y respuestas mientras realizas tu viaje personal de oración.
2. Aparta un tiempo cada día para unirte al Señor en oración y recuerda que *algo es mejor que nada*. Comienza con poquito... ¡y observa los poderosos efectos!
3. Ora siempre (Efesios 6:18) y en todas partes, disfrutando la presencia de Dios contigo dondequiera que vayas (Josué 1:9).
4. Ora con fidelidad por otras personas, en especial por tus padres y hermanos y hermanas. ¡Y no olvides orar por tus enemigos (Lucas 6:28)!
5. Tómate en serio el poderoso privilegio de la oración.

## Respuesta del corazón

Cuando se trata de mi vida de oración, tengo un dicho que me ayuda cada día: *Lo primero es lo primero.* Intento que mi tiempo devocional con Dios sea lo primero que haga cada mañana. De algún modo, dedicar primero mi nuevo día a Dios en oración marca una diferencia tremenda en ese día. Me recuerda quién soy yo (su hija), a quién sirvo (¡a Él!) y qué voy a hacer con mi día... y mi vida (glorificarle). Y cuando oro por la gente que hay en mi vida, el simple hecho de orar cambia de manera sorprendente mi corazón con respecto a ellos, al permitir que Dios me dé su amor y su sabiduría para vivir estas relaciones de un modo que hace que Cristo brille a través de mí.

Y ahora tengo una pregunta para ti. ¿Crees que la oración, aunque sean cinco o diez minutos al día, es capaz de cambiar tu vida? ¡Yo creo que sí! La permanencia en la presencia de Dios aumentará tu fe, proveerá un lugar en el que te deshagas de tus cargas, te recordará que Dios está siempre cerca y te ayudará a no tener miedo si vienen los problemas. Cuando aceptes la invitación de Dios a orar, Él transformará tu corazón y cambiará tu vida.

Un momento, ¡*eso* es emocionante! Todo esto... ¡y mucho más!... está a tu disposición, amiga mía, a medida que vas alimentando y nutriendo un corazón comprometido a orar. ¿Cuál será tu primer paso?

## Cosas que podemos hacer hoy para desarrollar un corazón comprometido a orar

♡ Confecciona una hoja de oración por cada miembro de tu familia, y comienza a orar todos los días por ellos. Pregúntale a cada uno cuáles son las necesidades por las que puedes orar.

♡ Comienza una hoja de oración para anotar las decisiones que debas tomar. Sé fiel en ponerlas delante de Dios en oración cada día. Pídele su sabiduría.

♡ Escoge la persona que más te desagrada y ora cada día por ella durante un mes.

## ¿Te gustaría saber más? Echa un vistazo

✓ En Lucas 1:46-55, María derrama su corazón en oración. Escribe cómo María habla de sí misma y cómo habla de Dios. Anota, también, sus descripciones de Dios. ¿Qué te impactó más de su oración? ¿Qué ingredientes de su oración puedes incluir en la tuya?

✓ ¿Qué aprendes de las oraciones de Jesús en Marcos 1:35? ¿Qué ingredientes de su vida de oración puedes incluir en la tuya?

✓ ¿Qué se dijo de Elías y su vida de oración en Santiago 5:17-18? ¿Qué ingredientes de su vida de oración puedes incluir en la tuya? (Observa lo que dice Santiago 5:16: «La oración del justo [¡o de la justa!] es poderosa y eficaz»).

# 5

# *Un corazón que obedece*

*He encontrado en David [...] un hombre conforme a mi corazón;*
*él realizará todo lo que yo quiero.*
HECHOS 13:22

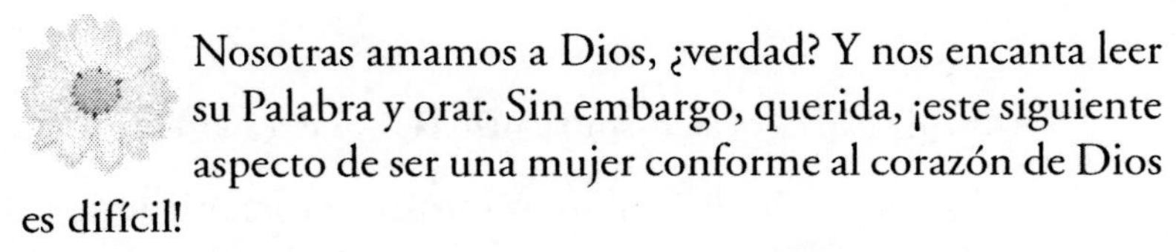

Nosotras amamos a Dios, ¿verdad? Y nos encanta leer su Palabra y orar. Sin embargo, querida, ¡este siguiente aspecto de ser una mujer conforme al corazón de Dios es difícil!

Me refiero a la obediencia. Y nunca logro pensar en la importancia de obedecer a Dios sin recordar una noche cuando mi hija Katherine hizo tarta de chocolate y nueces para toda la familia... y dejó fuera la sal. Pues bien, ¡ya sabes los resultados! Tuvimos que tirarlo todo porque faltaba algo muy importante y su sabor era horrible.

Y, mi querida amiga, así como la tarta de chocolate y nueces necesita varios ingredientes para que llegue a ser lo que pretendemos que sea, también son clave varios ingredientes a fin de convertirnos en mujeres conforme al corazón de Dios. Ya hemos hablado de la consagración a Dios, a su Palabra y a la oración, pero necesitamos otro ingrediente, tan importante como la sal para las tartas de chocolate y nueces, de modo que tú y yo seamos mujeres conforme al corazón de Dios, y ese ingrediente es la obediencia. El corazón en el que se deleita Dios es un corazón que se deja enseñar, dispuesto y que responde tanto a Él como a sus mandamientos. En pocas palabras, es un corazón que obedece.

## Dos tipos de corazones

¿Que cómo se me ocurrió el título de este libro, *Una joven conforme al corazón de Dios*? Bueno, pues lo saqué de la Biblia, de Hechos 13:22. Es de un sermón que predicó el apóstol Pablo. Y en ese sermón, Pablo hizo alusión a las vidas de dos hombres que tenían dos tipos de corazones. He aquí lo que sabemos de estos dos hombres.

> *El rey Saúl*: El primer hombre era Saúl, que reinó como rey de Israel y del pueblo de Dios durante cuarenta años.

- Saúl se sirvió a sí mismo e hizo las cosas a su manera.
- La adoración de Saúl solo consistía en actos externos de sacrificio.
- El corazón de Saúl estaba centrado en Saúl.
- La consagración de Saúl a Dios era impulsiva e irregular.
- Saúl era orgulloso y confiaba en su propia habilidad, sabiduría, juicio y fuerza física.

> *El rey David*: El segundo hombre era David, que sirvió como rey sobre el pueblo de Dios después que Dios destituyó a Saúl como rey.

- El corazón de David estaba dispuesto a obedecer a Dios.
- David servía a Dios y no a sí mismo.

- David se preocupaba de hacer la voluntad de Dios, no la suya.
- El corazón de David estaba centrado en Dios, no en sí mismo.
- David, un poderoso guerrero, dependía de Dios para sus victorias y declaraba una y otra vez: «El Señor es la fuerza de mi vida» (Salmo 27:1).

Dios les concedió a ambos reyes oportunidades de dirigir a Israel, pero al final caminaron por sendas diferentes: Saúl se alejó de Dios y David se acercó a Dios. Estos dos hombres eran como dos músicos diferentes, el que se sienta en un piano y lo aporrea, toca un poco de aquí y otro poco de allá (¡todos sabemos tocar «palillos chinos»!), y el otro el estudiante que se sienta durante horas seguidas, disciplinado, fiel y dedicado. El primero crea sonidos inmaduros, irregulares, crudos y que se desvanecen, mientras que el otro aprende, crece, mejora y eleva los corazones y las almas de los demás a medida que sintoniza su música, su vida, con el Todopoderoso. La canción de Saúl, su caminar con el Señor, era inestable: unas veces bien, otras mal, y poco desarrollado. No obstante, David, conocido como el dulce salmista de Israel (2 Samuel 23:1, LBLA), le ofrecía a Dios melodías puras de amor consagrado y obediencia sincera. En verdad, ¡su corazón era conforme al de Dios!

## ✎ *De la Palabra de Dios para tu corazón...*

Ahora es tu turno de mirar lo que la Palabra de Dios tiene que decir sobre estos dos hombres y sus dos tipos de corazones. Mientras lees estos versículos, mírate en el espejo de la Palabra de Dios y pregúntale a Dios y a ti misma: «¿Tengo un corazón obediente?».

Cuando leas estos versículos, pon atención a los dos hombres mencionados, lo que se dice de cada uno de ellos, y cómo Dios define a un hombre conforme a su corazón.

> *El SEÑOR ya está buscando a un hombre más de su agrado, pues tú no has cumplido su mandato* (1 Samuel 13:14).

> *Tras destituir a Saúl, [Dios] les puso por rey a David, de quien dio este testimonio: «He encontrado en David, hijo de Isaí, un hombre conforme a mi corazón; él realizará todo lo que yo quiero»* (Hechos 13:22).

Como aprendimos aquí, ¡Saúl era un hombre al que, simplemente, no le importaba obedecer a Dios! No era un hombre conforme al corazón de Dios... ¡y David sí!

### *Sí, ¿pero cómo?*

¡Aunque para mí es más importante *tu* corazón que el de David y el de Saúl! Creo que puedo decir sin temor a equivocarme que no estarías leyendo este libro si no procuraras tener un corazón conforme al de Dios, queriendo cumplir con fidelidad su Palabra y su voluntad. Por lo tanto, ahora la pregunta es: *¿cómo?* ¿Cómo seguimos el ejemplo de David en nuestra consagración a Dios? ¿Y qué hacemos para que Dios haga crecer en nosotros un corazón comprometido a obedecerlo? Un corazón comprometido a hacer la voluntad de Dios es un ingrediente muy importante cuando se trata de demostrar nuestro amor por Él.

Pues bien, querida amiga, Dios nos llama a cuidar nuestros corazones. Dios nos dice a ti y a mí que «cuidemos» nuestro corazón con toda diligencia porque afecta todo lo que hacemos. Nos dice que enderecemos las sendas por donde andamos, que miremos hacia delante y que no nos apartemos de él. En lugar de desviarnos a derecha o izquierda, debemos seguir los caminos establecidos por Dios (mira Proverbios 4:23-27).

¿Y cuál es la clave aquí? Respuesta: La clave para vivir una vida de obediencia, una vida que sigue el camino de Dios, es el corazón. Si guardamos nuestros corazones, si los atendemos con diligencia, todos los demás asuntos, las acciones, las «entradas y las salidas» de la vida se tratarán a la manera de Dios[8].

Entonces, ¿cómo tú y yo permanecemos en el camino de Dios? He aquí algunas buenas pautas para nutrir un corazón que responda a Dios y a sus caminos. Estas cinco pautas, mi preciosa amiga, nos guiarán a una vida de obediencia.

## *Cinco pautas para la obediencia*

1. *Concéntrate en hacer lo bueno*: Cuando Dios miró el corazón de David, vio lo que quiere ver también en ti y en mí. Vio un corazón que hará su voluntad. Y esto requiere un corazón tierno y fácil de enseñar, un corazón que se concentrará en hacer lo bueno.

   Muchas veces sabemos con exactitud lo que es bueno, ¿verdad? Aun así, ¿qué me dices de esas veces cuando no estamos seguras? O sea, ¿esas veces cuando en tu corazón quieres hacer lo bueno, pero no estás segura de qué es lo bueno? Bien, ¡anímate! He aquí algunas reglas que puedes poner en práctica cuando te ocurra esto.

   - ¡No hagas nada! Para hacer lo bueno, debes tomarte un tiempo de oración, pedirle a Dios que te guíe, pensar, estudiar las Escrituras y pedir consejo a alguna persona más madura que tú en Cristo. Solo dile a la persona que te está pidiendo que hagas algo de lo que no estás segura: «Voy a pensarlo. Te responderé más tarde». Tu mejor plan de acción es no hacer nada hasta que sepas qué es lo bueno. Como nos instruye Proverbios 3:5: ¡«No te apoyes en tu propia inteligencia»!

- Reconoce a Dios. En lugar de apoyarte en tu propia inteligencia, «reconócelo en todos tus caminos». ¿Entonces que pasa? «Él allanará tus sendas» (Proverbios 3:6).
- Pide sabiduría. Repito, la Biblia es clara cuando nos dice que «si a alguno de ustedes le falta sabiduría, pídasela a Dios [...] y él se la dará» (Santiago 1:5).
- Insisto, no hagas nada. El resumen para ti y para mí, como mujeres conforme al corazón de Dios, es este: si dudas, ¡*no* lo hagas (Romanos 14:23)! O, dicho de otra manera: *cuando dudas, es prohibido.*

2. *Deja de hacer lo que no es bueno*: En el mismo instante en que pienses o hagas algo contrario al corazón de Dios, ¡párate de inmediato! Solo frena la actividad. Si es chisme, páralo. Si es un pensamiento indigno, páralo (Filipenses 4:8). Si hay una chispa de ira en tu corazón, detente antes de actuar. Si has dicho una mala palabra, cállate antes de decir otra.

3. *Confiesa cualquier cosa mala*: Cuando se trata de este principio en las Escrituras, yo trato conmigo misma sin miramientos. Cuando hago algo contrario a la Palabra de Dios, reconozco en mi corazón que lo que he hecho no está bien. Digo: «¡Esto no está bien! ¡Esto es pecado! ¡No puedo hacer esto!». Al fin y al cabo, como dice la Biblia: «Si afirmamos que no tenemos pecado, nos engañamos a nosotros mismos» (1 Juan 1:8). Así que al pecado lo llamo «pecado» y, al hacer esto, capacito de manera activa mi corazón para responder a la convicción del Espíritu Santo. Por lo tanto, tú y yo debemos...

- Confesar el pecado (1 Juan 1:9), ¡y cuanto antes mejor!

- Abandonar el pecado. La Palabra de Dios nos llama a confesar *y* abandonar nuestros pecados (Proverbios 28:13). No seamos como el granjero que dijo: «Quiero confesar que le robé un poco de heno a mi vecino». Cuando el párroco le preguntó: «¿Cuánto le robaste?». El granjero declaró: «Le robé la mitad de un montón, pero tengo que completarlo. ¡Voy a regresar para conseguir la otra mitad esta noche!».

4. *Aclara las cosas con los demás*: Es cierto que la confesión arregla las cosas ante Dios, ¿pero qué ocurre si lastimaste a otra persona? Entonces, amiga mía, debes aclarar las cosas con esa persona también.

   Eso es lo que tuve que hacer la primera mañana que canté en el coro de la iglesia. Cuando me encaminaba al cuarto del coro aquella mañana temprano, una mujer dulce y amigable me extendió su mano, sonrió y me dijo: «Hola, ¿eres de los nuevos chicos del coro?». Y yo le respondí: «No, soy de las nuevas chicas». Pues bien, enseguida supe lo que tenía que hacer. Traté delante de Dios con el pecado de descortesía y crueldad a la hora de hablar, haciendo una oración en mi corazón (y créeme, ¡eso fue lo más fácil!). Sin embargo... ¡había herido a una persona, y ella era una de las preciosas hijas de Dios! Así que, después que terminó de cantar el coro, esperé a esta mujer, le extendí mi mano y le dije: «Tengo una boca muy hiriente, ¿verdad? ¡Lamento que respondiera a tu amabilidad con tanta ligereza! ¿Me perdonas, por favor?».

   Dios no quiere que le ofrezcamos nada hasta que arreglemos las cosas con nuestros hermanos y hermanas. Entonces, *después* que ponemos las cosas en orden, podemos ir y ofrecerle nuestro regalo de adoración (mira Mateo 5:23-24).

5. *Sigue adelante lo antes posible*: ¿Has hecho alguna vez algo que no estaba bien, se lo has confesado a Dios, dejaste de

hacerlo, incluso llegaste a arreglar las cosas con los demás involucrados, pero aun así no lograste sobreponerte a ello? A este comportamiento lo llamo «revolcarse». Lo que quiero decir es que ya está arreglado... pero es como si no lograra seguir adelante porque me sigo revolcando en lo que hice, sigo reviviendo mi error. Me digo: «¡No es posible que hicieras eso, que dijeras aquello, que pensaras lo otro, que te comportaras de esa manera! ¿Pero cómo has podido hacer eso? ¡No eres digna! ¡Eres del todo incapaz de servir a Dios!».

Pues bien, siempre que tú y yo nos encontremos en esta situación, tenemos que acudir a otro principio de la Palabra de Dios y dejar que nos levante, nos sacuda el polvo, nos refresque y nos vuelva a poner en su camino. La Palabra de Dios nos dice que dejemos de revolcarnos y que «olvidemos lo que queda atrás», a fin de emplear nuestra energía al «[esforzarme] por alcanzar lo que está delante» (Filipenses 3:13-14). Es cierto que debemos recordar las lecciones que aprendimos mediante los fallos, pero también es cierto que no debemos olvidarnos de seguir avanzando.

## ✎ *De la Palabra de Dios para tu corazón...*

Hemos avanzado mucho terreno en esta lección... ¡terreno muy importante! Aun así, no quiero que dejemos esta sección sin ver y manejar los versículos por nosotras mismas. Por eso quiero que leas estos poderosos principios. Hay principios que se refieren al hecho de cultivar un corazón obediente.

Y mientras lees, observa lo que te enseña cada uno de estos pasajes de la Biblia sobre vivir una vida de obediencia, una vida que permanece en el camino de Dios. ¿Qué consejo da cada uno y en que te ayudaría a vivir una vida de obediencia? Y, si eres valiente, toma nota de los cambios que tengas que hacer para que tu corazón sea obediente.

*Si a alguno de ustedes le falta sabiduría, pídasela a Dios, y él se la dará, pues Dios da a todos generosamente sin menospreciar a nadie* (Santiago 1:5).

*Si afirmamos que no tenemos pecado, nos engañamos a nosotros mismos y no tenemos la verdad. Si confesamos nuestros pecados, Dios, que es fiel y justo, nos los perdonará y nos limpiará de toda maldad* (1 Juan 1:8-9).

*Quien encubre su pecado jamás prospera; quien lo confiesa y lo deja, halla perdón* (Proverbios 28:13).

*Más bien, una cosa hago: olvidando lo que queda atrás y esforzándome por alcanzar lo que está delante, sigo avanzando hacia la meta para ganar el premio que Dios ofrece mediante su llamamiento celestial en Cristo Jesús* (Filipenses 3:13-14).

## Respuesta del corazón

Bien, amiga, a medida que emprendemos el camino a fin de convertirnos en mujeres conforme al corazón de Dios, es obvio que la obediencia es una piedra fundacional en el sendero. Y sé que quieres andar segura por este camino. Y que tal paso, el de la obediencia, te preparará para responder más tarde a lo que Dios tiene que decir acerca de otras esferas importantes de tu vida. Por lo tanto, tengo algunas preguntas para ti.

En los días de Saúl, Dios dijo que buscaba un corazón obediente, que haría su voluntad. ¿Describen estas palabras tu corazón? ¿Es el deseo de Dios tu deseo también? ¿Va tu corazón tras Dios (Salmo 63:8), cerca de Él, pisándole los talones, literalmente aferrado a Él?[9]

Si no es así, te ruego que te detengas ahora mismo. Examina tu corazón y busca cualquier comportamiento que necesite una respuesta de confesión. Luego, haz esa confesión, decide erradicar ese comportamiento y vuelve a transitar el camino de Dios de la belleza, la paz y el gozo, el camino por el que anda una mujer conforme al corazón de Dios, sin importar su edad. A medida que desees todas las cosas que Dios desea, que ames todo lo que Él ama y te humilles bajo su mano poderosa (1 Pedro 5:6), tu corazón, sin duda, será un corazón que va tras Dios. ¡Qué buen pensamiento!

Ahora, querida amiga, ¿cómo va la receta de tu corazón? ¿Hay algo que falta? ¿Algún ingrediente clave como, digamos... la obediencia? ¿Es tu corazón obediente? Hay una frase de un poema que nos insta a ti y a mí: «Pequeña, examina tu corazón». Yo estoy examinando el mío. ¿Y tú?

## Cosas que podemos hacer hoy para desarrollar un corazón obediente

♡ Escribe en una tarjetita las «Cinco pautas para la obediencia». Memorízalas durante los próximos días.

♡ Enumera cualquier asunto en el que luches por hacer lo bueno. *Pon* tus asuntos a continuación de las pautas, *ora* y *obedece* las instrucciones de Dios.

♡ ¿Necesitas ayuda con alguna de las pautas? No pases la página hasta que le hayas pedido a alguien que te ayude a hacer todo lo que Dios quiere que hagas (Hechos 13:22).

## ¿Te gustaría saber más? Echa un vistazo

✓ Lee Proverbios 4:23-27. Escribe las referencias al cuerpo humano y las instrucciones de Dios con relación a cada miembro del cuerpo mencionado. Lo que amamos y lo que hacemos serán del todo determinantes en la forma en que vivimos. Pregúntate: ¿Me dirigen las cosas que amo en el buen camino, en el camino de Dios?

✓ Haz una lista de los principios que se enseñan en Proverbios 3:5-6 que te ayuden a hacer lo bueno. Haz lo mismo con el Salmo 37:3-5 y el Salmo 1:1-2. Da un paso más y haz dos columnas: «Qué hacer» y «Qué no hacer», enumerando las instrucciones de Dios en la columna apropiada. Insisto, ¿te dirigen las cosas que amas en el buen camino, en el camino de Dios?

✓ Mira ahora lo que dice Dios en Mateo 5:23-24 sobre nuestras relaciones con los demás. ¿Qué importancia tienen las relaciones cuando se trata de tu adoración a Dios? ¿Qué dice Dios que hagamos cuando tenemos una relación rota? ¿Qué hay en la lista de «Qué hacer» de Dios cuando se trata de nuestras relaciones con otros y nuestra relación con Él?

# Segunda parte

# En busca de las prioridades de Dios

# 6

# Un corazón que se somete

PRIMERA PARTE

*Hijos, obedezcan a sus padres en todo, porque esto agrada al Señor.*
COLOSENSES 3:20

Cada vez que me piden que diga los nombres de los libros que he leído y que más han transformado mi vida, siempre incluyo entre ellos *What is a family?* [¿Qué es una familia?], de Edith Schaeffer[10]. A decir verdad, lo he leído más de una vez... y más de dos. Por medio de su maravillosa escritura y su gran corazón, la mujer que escribió este formidable libro fue capaz de pintar un cuadro de lo que Dios tenía en mente sobre lo que debería ser una vida familiar. ¡Sé que a mi vida familiar le falta mucho! Y quizá te pase a ti lo mismo.

Sin embargo, quiero que las dos sepamos lo que la Biblia dice sobre los papeles de cada miembro del círculo familiar. A fin de cuentas, ¡todos vivimos en familias! Y todos tenemos padres. Además, la mayoría tenemos un hermano o una hermana... ¡o dos! Por lo tanto, empecemos con estas relaciones fundamentales y aprendamos cómo nutrir un corazón que se somete cuando se trata de la familia.

## *Honrar a tus padres*

Es probable que escucharas de los Diez Mandamientos que Moisés bajó del monte Sinaí. Dios se los entregó a Moisés, quien los llevó al pueblo de Dios. Estos eran (¡y todavía son!) las pautas de Dios para la manera en que Él quería que viviera su pueblo. No fueron las Diez *Sugerencias* de Dios. No, fueron los Diez *Mandamientos*, la ley de Dios. Y uno de esos mandamientos declara esto:

> *Honra a tu padre y a tu madre, para que disfrutes de una larga vida en la tierra que te da el Señor tu Dios* (Éxodo 20:12).

Amiga mía, como exclamara una escritora, ¡este mandamiento relacionado con nuestra actitud hacia nuestros padres es «algo GORDO en la Biblia»![11] ¿Por qué? Porque se encuentra en los Diez Mandamientos.

Entonces, ¿qué tiene que hacer una mujer conforme al corazón de Dios con relación a este mandamiento? Pues bien, como aprendimos en el capítulo anterior, tenemos que obedecerlo. Eso es lo que tiene que hacer una mujer conforme al corazón de Dios. ¿Recuerdas? Ella cumple toda la Palabra de Dios, guarda sus mandamientos y hace todo lo que Él quiere que haga. De ese modo, querida amiga, tú y yo vamos a honrar a nuestros padres... mientras vivan. Esto se ajusta a la edad que tengas, y también se ajusta a la mía (¡mi madre acaba de cumplir noventa y tres años!), pues se trata de uno de los mandamientos eternos de Dios.

Nuestra siguiente pregunta tiene que ser: «¿Qué significa, entonces, honrar a tus padres?». Me gusta esta explicación. Aunque quizá parezca simplista, creo que abarca casi todo... incluyendo nuestros «Sí, pero» y nuestros «Pero, ¿qué pasa si...?».

> ¿Qué significa «honrar» a los padres? En parte, «honrar» significa hablar bien de ellos y hablarles a ellos con cortesía. Además significa actuar en

> una forma que les muestre cierta cortesía y respeto (pero no obedecerles significa desobedecer a Dios). Es seguir sus enseñanzas y el ejemplo de poner a Dios en primer lugar. Los padres tienen un lugar especial a la vista de Dios. Aun a aquellos que les es difícil entenderse con sus padres se les ordena que los honren[12].

Por consiguiente, para obedecer el mandamiento de Dios de honrar a tus padres, también tienes que obedecer a tus padres (excepto, como dice la declaración anterior, si te piden que peques contra Dios). Esta obediencia demanda de ti un corazón humilde (1 Pedro 5:5). También creo que una mejor comprensión de otras cuantas enseñanzas más te ayudarán en tu obediencia. Por ejemplo, ¿sabías que...

- Dios manda a los padres que enseñen a sus hijos (Deuteronomio 6:7)?
- Dios manda a los padres que preparen a sus hijos (Efesios 6:4)?
- Dios manda a los padres que disciplinen y corrijan a sus hijos (Hebreos 12:7)?

Puedo decirte, por experiencia, que lo más difícil que he tenido que hacer como mujer conforme al corazón de Dios ha sido cumplir el mandamiento de Dios para mí, como madre joven, de disciplinar a mis dos pequeñas. ¡Y sospecho que cada mamá joven tiene el mismo problema! Con todo, sabía que la Biblia dice que si amo a mis hijos, debo disciplinarlos (Proverbios 13:24). Cuando los padres disciplinan a sus hijos, esto demuestra su amor. Estoy segura que me equivoqué unas cuantas veces (¡quizá unas pocas más!). No obstante, la Biblia dice que cuando se deja a un niño sin disciplina, ese niño se malcría y, al final, será un problema para sus padres (Proverbios 29:15). Por lo tanto, con el ánimo de las Escrituras, con mucha oración y con muchas lágrimas, discipliné a mis hijas. (¡Y ahora les toca a ellas hacerlo con sus cinco niños!).

¿Y por qué estoy hablando de criar a los hijos en un libro escrito para ti y tus amigas, que aún no son madres? Por dos razones. Primera, quiero que sepas lo que Dios les dice a los padres, a *tus* padres. Y segunda, quiero que sepas lo difícil que es para los padres obedecer a Dios. Y sé que también es difícil saber si estás disciplinando como es debido. Aun así, lo primordial es que si los padres no disciplinan, ¡se formará un lío que habrá que arreglar después! ¡Lee y compruébalo por ti misma!

## ✎ *De la Palabra de Dios para tu corazón...*

Quiero que conozcas a Elí y sus dos hijos. Elí era uno de los sumos sacerdotes que juzgaban a Israel. Y, créeme, ¡su historia es muy lamentable! ¿Por qué? Porque no disciplinó a sus hijos. En lugar de aceptar con firmeza la responsabilidad que Dios le encomendó como padre de corregir a sus hijos cuando pecan, Elí hizo muy poco o nada, ¡permitiendo que sus hijos cometieran un «asesinato»! No de manera literal, pero sus hijos tomaron para sí lo mejor de la ofrenda de los animales sacrificados que la gente le ofrecía a Dios y se guardaron la carne para comérsela. También fueron culpables de blasfemar contra Dios y de «acostarse con las mujeres que servían en la entrada del santuario» donde se llevaba a cabo la adoración a Dios (1 Samuel 2:22).

No sabemos lo que provocó el fracaso de Elí en su importante papel como padre de sus hijos, pues la Biblia no lo dice. Quizá intentó disciplinar y corregir a sus hijos en su niñez. O a lo mejor lo intentó varias veces sin obtener resultados y luego se dio por vencido. O tal vez preparó a sus hijos y estos no quisieron cooperar. O es posible que no se tomara el tiempo de hacerlo. A lo mejor, simplemente no quiso que le molestaran con eso o estaba demasiado ocupado con otras cosas «más importantes». Aun así, al final, los hijos fueron malvados y esto desagradó al

Señor. Dios juzgó a Elí, prediciendo la muerte de los hijos de Elí, y los tres hombres, Elí y sus dos hijos, murieron: los hijos en la batalla y Elí cuando se enteró de sus muertes (1 Samuel 2:12-36 y 4:12-18).

Con esta desalentadora historia resonando en nuestros oídos, veamos en la Palabra de Dios cuál es su plan para ti a la hora de honrar, respetar, obedecer y amar a tus padres. Mientras lees estos versículos, pídele a Dios que te muestre cómo puedes mejorar en el aspecto de la sumisión. Descubre las esferas que necesiten unos primeros auxilios inmediatos.

> *Hijos, obedezcan en el Señor a sus padres, porque esto es justo. Honra a tu padre y a tu madre, que es el primer mandamiento con promesa, para que te vaya bien y disfrutes de una larga vida en la tierra* (Efesios 6:1-3).

> *Hijos, obedezcan a sus padres en todo, porque esto agrada al Señor* (Colosenses 3:20).

## *Sí, ¿pero cómo?*

Perfecto. Ahora sabemos que la Palabra de Dios dice que obedezcas a tus padres y que los honres. Entonces, la pregunta es: ¿cuál es la manera exacta de seguir la Palabra de Dios siendo una joven conforme al corazón de Dios que hace toda la voluntad de Él? ¿Cómo transitas por el camino de Dios de la obediencia en esta parte vital? He aquí algunos puntos. Y creo que conforme los leas, encontrarás que tener un corazón sometido se reduce a poner atención a las pequeñas cosas... que sumadas forman algo grande. ¿Cuáles son esas pequeñas cosas?

1. *Tu actitud*: ¡Aquí tenemos una pequeña *gran* cosa! Tu actitud tiene que ver con tu estado de ánimo. Y este puede ser bueno o malo, o puede ser pecaminoso. Haz un alto por un instante y piensa en tu actitud. ¿Eres casi siempre alegre,

atenta, llena de energía, agradable, positiva, dadora, respetuosa? ¿O tiendes a tener cara mustia, gruñir y quejarte, resentirte con tus padres, con tu familia, con tus responsabilidades, e incluso con tu vida de adolescente? Está tu día (y tu vida) lleno de enojo? ¿Te parece que andas siempre pisando fuerte, pasando por encima de cualquiera y todo lo que se interponga en el camino? (¡Huy!, ¿te parece esto a los dos comportamientos opuestos de María y Marta que vimos en el capítulo 1?).

Tú y yo sabemos dónde nace, se cultiva y se mantiene nuestra actitud, ¿no es cierto? Es en nuestro tiempo devocional, a medida que la Palabra de Dios llena nuestros corazones vacíos y establece la dirección a seguir en ese día... ¡y cuando oramos! La Palabra de Dios nos indica el camino, y la oración une nuestros corazones en armonía con el camino de Dios. Y cada día necesitamos un enorme ajuste de actitudes. Si no pasamos este tiempo tan importante con Dios, estaremos condenadas al fracaso en ese día. ¡Y en todos los demás! Es mejor que lo sepan, ¡despejen la vía y apártense de nuestro camino!

Ahora, piensa de nuevo... ¿cuál es el título de nuestro libro? Exacto, es *Una joven conforme al corazón de Dios*. Y esta clase de mujer intenta andar con Dios y en sus caminos y mostrar la gracia de Cristo. Por tanto, proponte conmigo...

- buscar la ayuda del Señor cada día a través de su Palabra y de la oración
- buscar la actitud de «soy la #3» (con tu papá como #1 y tu mamá como #2)
- buscar dejar a un lado el egoísmo y ser más desprendida.

2. *Tu cuarto*: Trataremos más sobre este tema después, pero por ahora piensa en tu lugar, tu cuarto, tu espacio.

Dondequiera que esté y con quienquiera que lo compartas (¡ya sabes, tu hermana!), ¡date cuenta que tu cuarto es parte de la casa de tus padres! Claro, es tu responsabilidad, pero no es tuyo... es suyo. Pertenece a tus padres. Y ten en cuenta que debe ser determinante. Honras a tus padres cuando honras sus propiedades.

Por eso quiero animarte a que tengas la actitud (¡ahí está la palabra otra vez!) del «kilómetro extra» cuando se trate de tu cuarto. Cualquier cosa que tus padres te pidan en cuanto a la limpieza, el orden, el ruido, las reglas, los invitados, etc., recorre el kilómetro extra, y hazlo incluso mejor y con un espíritu alegre. Es como dijo Jesús: «Si alguien te obliga a llevarle una carga un kilómetro, llévasela dos» (Mateo 5:41).

## Pausa del corazón

Quiero que ahora te tomes un respiro, una pausa. Has hecho un gran trabajo al permanecer ahí en un tema tan difícil, aunque a la vez vital. ¡Felicidades! Estoy orgullosa de ti en el Señor.

Sin duda, la sumisión es una esfera difícil para todos. Lo que la hace difícil es que muchas veces creemos que sabemos más, o mejor, que la persona a la que nos tenemos que someter. Es algo así: No tengo problema en someterme a alguien que me pida que haga algo en un campo donde no sé nada en lo absoluto, algo como pilotar un avión o pasar un examen médico. Sin embargo, ¡ayayay! me cuesta mucho someterme en una esfera o a una persona cuando *pienso* que tengo algún conocimiento o entendimiento. Es ahí donde empiezo a tener problemas.

Con todo, querida amiga, Dios nos llama a ser mujeres conforme a su corazón. Y su supremo llamamiento requiere un corazón que se somete. Ahora bien... ¿cómo vas hasta aquí?

## Cosas que podemos hacer hoy para desarrollar un corazón que se someta

♡ Antes de seguir adelante, vuelve a leer la definición de lo que significa honrar a tus padres. Después, piensa en algo que puedas hacer hoy para honrar a tus padres. Hazlo a la primera oportunidad. Y no olvides hacer lo mismo mañana... y pasado... y al otro y...

♡ Comprueba tu actitud. ¿Cómo describirías tu actitud general en tu casa? (¿Cómo crees que tus padres la describirían? ¿Y tus hermanos y hermanas?). Después, haz un ajuste de actitudes. ¿Qué cambios en concreto harás (no los que podrías hacer o que deberías hacer, sino los que harás)? ¡No te olvides de pedirle a Dios que te dé su gracia en este asunto!

♡ Enseguida... ¿hay algo, ¡lo que sea!, que puedas hacer en este mismo instante para cuidar tu cuarto? ¿Algo que hayas descuidado, que hayas dejado de hacer, o que tan solo no hayas querido hacer como acto de rebeldía? Honra a tus padres haciéndolo ahora.

## ¿Te gustaría saber más? Echa un vistazo

✓ Lee 1 Pedro 5:5-6. Aquí Dios describe la belleza de un corazón humilde. Haz dos listas. En la primera anota cuál es tu papel y en la segunda anota cuál es el papel de Dios. Sabemos que Dios nunca falla. ¿Fallas tú en obedecer de alguna manera? ¿Qué cambios vas a hacer?

✓ Lee Lucas 2:41-52. Apunta los detalles de esta escena familiar: la gente, los lugares mencionados y lo que ocurrió. Al final, ¿cuál fue la respuesta de Jesús a sus padres? ¿Qué aprendes del ejemplo de Jesús sobre la sumisión a tus padres?

✓ ¿Qué nos enseñan estos versículos sobre la sumisión de Jesús a la voluntad de su Padre?

Mateo 26:39

Mateo 26:42

Juan 4:34

Juan 6:38

Juan 15:10

Hebreos 10:7

Repito, ¿qué aprendes del ejemplo de Jesús?

# 7

# Un corazón que se somete

SEGUNDA PARTE

*Honren a Cristo sometiéndose unos a otros.*
EFESIOS 5:21 (LBD)

¿Cómo anda tu corazón, mi querida compañera de viaje? ¿Te acuerdas de la sección de nuestra «Respuesta del corazón» del capítulo 5? Descubrimos que desarrollar un corazón que obedezca, que obedezca la voluntad de Dios, era el paso más importante de nuestro viaje en el camino de convertirnos en una mujer conforme al corazón de Dios. ¡Y es taaaaaan cierto! La obediencia a lo que Dios dice en su Palabra es lo que nos prepara para responder ahora en este asunto tan importante del sometimiento a los padres.

Y oro para que estés comenzando a ver la importancia de someterte a tus padres. ¿Creías que la *sumisión* era una etapa en tu vida que se pasaría? ¿Pensabas que: «Si puedo aguantar como sea, someterme solo cuando me convenga, algún día esto de la sumisión se habrá terminado y seré libre para hacer lo que sea y actuar como me dé el deseo»?

Si todavía te sientes así, por favor, perdóname. Quizá no he sabido comunicarte de manera apropiada la importancia de la sumisión como un proceso de toda la vida y como un estilo de vida para todos los hijos de Dios. La sumisión es lo que nos prepara para las cosas futuras de tu vida (y de la mía). Y, como ya se ha dicho: «El niño tiene que aprender la obediencia en el hogar, o jamás aprenderá a obedecer al Padre celestial»[13].

Continuemos ahora donde lo dejamos en nuestro último capítulo. Veamos unas pocas cosas más que puedes hacer a fin de prepararte en el arte de la sumisión. Hasta ahora hemos considerado *tu actitud* y *tu cuarto*. Vamos a elegir ahora la sección: «Sí, ¿pero cómo?».

3. *Tu cooperación*: ¿Has participado alguna vez en algún juego? ¿O bailado en un ballet? ¿O formado parte de un equipo deportivo? Como bien sabrás, todos tienen que cooperar para hacer que el espectáculo o el juego resulte lo mejor posible. Todos tenían que ser un equipo, ¿no es así?

   Pues bien, pasa lo mismo con la familia. Hay algunas cosas que Dios quiere de sus familias: que convivan en armonía (Salmo 133:1) y que le den la gloria (1 Corintios 10:31). Es probable que tus padres quieran las mismas cosas para tu familia, y tal vez estén intentando llevar a tu familia en esa dirección. Y tu trabajo en todo esto es el de cooperar. Cierto, puede que a veces parezca estricto, y en ocasiones difícil, pero tienes que seguir conviviendo con ellos.

   Por lo tanto, he aquí cómo actúa. Si tus padres quieren que tú o tu familia vayan a la iglesia, tienes que ir. Si quieren que vuelvas a ir a la iglesia por la noche, tienes que ir. Si quieren que vayas a la iglesia entre semana, tienes que ir, si quieren que vayas a un campamento para la familia (y resulta que es el mismo fin de semana que esa reunión tan esperada que ibas a tener en tu escuela), tienes que ir. Si necesitan que cuides de tu hermanito o tu hermanita mientras ellos salen a cenar, tienes que hacerlo. Si necesitan que les ayudes en casa, hazlo. Si están ahorrando para algo especial y tienen que recortar el presupuesto, conténtate sin comprarte esa ropa extra, o sin salir por ahí a gastar con tus amigas. En otras palabras, coopera.

4. *Tu ayuda*: Esto quizá parezca una repetición de lo anterior, pero es probable que sea mi única oportunidad de decir esto: Cada persona de la tierra anhela oír esas cuatro pequeñas palabras: «¿Cómo te puedo ayudar?». Así que te animo a que en tu casa, y a tus padres y otros miembros de la familia, les preguntes con regularidad: «¿Cómo te puedo ayudar?» (Y no temas lo que te puedan responder. Te aseguro algo: ¡es probable que se caigan de la silla del susto!). Como dice la Biblia, más valen dos que uno (Eclesiastés 4:9). Por lo tanto, brinda tu ayuda.

5. *Tus oraciones*: Rebobinemos por un instante. ¿Te acuerdas varios capítulos atrás cuando hablamos sobre la importancia de la oración? Estábamos de acuerdo en que la oración era importante, que la oración cambiaba las cosas y que la oración nos cambia a nosotras. Y el cambio incluye nuestros corazones. De modo que es bastante obvio que debemos, debemos y *debemos* orar por nuestros padres. He aquí cómo es: Si tus padres tienen un mal hábito o una mala costumbre al resolver las cosas, ora por ellos. Si no se llevan bien entre sí, ora por ellos. Si les gusta molestar a tu hermanito, ora por ellos. Si están estresados, ora por ellos. ¡Nunca puedes orar demasiado por tus padres!

   Y sigue orando también por ti misma. Si piensas que ni siquiera te gustan tus padres, ora por ti. Si piensas que son estúpidos, o tontos, o que están fuera de onda, ora por ti. Si crees que lo que te piden es injusto, ora por ti. Si crees que tus padres son demasiado estrictos, ora por ti. Si piensas que no te entienden, ora por ti.

¿Y qué le pides a Dios? Pídele que ablande tu corazón, que cambie tu actitud (¡otra vez aparece esta palabra!), que te dé la ayuda especial de su gracia, que te dé un aprecio mayor por tus padres, que te ayude a someterte, a honrarlos y respetarlos. Pídele a Dios que obre, no solo en el corazón de tus padres, ¡sino también en el tuyo! Eso es lo que hace una mujer conforme al corazón de Dios.

6. *Tu sumisión*: Como cristiana, ¡oirás muchísimo la palabra «sumisión»! La Biblia nos llama a someternos a casi todos los que te puedas imaginar: el gobierno, los jefes (1 Pedro 2:13-18), la iglesia (Hebreos 13:17), incluso unos a otros (Efesios 5:21). Aun así, tu casa y tus relaciones son el campo de capacitación para tu sumisión a todo lo demás, incluyendo tu futura sumisión a tu esposo (Efesios 5:22). Por lo tanto, honra a tus padres y sométete a ellos.

   La sumisión es un reto de Dios que va directo para ti. Es una medida de tu madurez espiritual. ¿Por qué? Porque nadie puede hacer que te sometas a nadie. Tú debes decir hacerlo. Tus padres no pueden hacerlo, ni tus amigas, ni tu líder de jóvenes. No, *tú* tienes que decidir someterte a tus padres. Y aquí está lo desagradable: si ahora no estás sometida a tus padres, tampoco estás sometida a Dios, y es probable que tengas problemas para cumplir el deseo de Dios para ti de que te sometas al futuro liderazgo de tu esposo. Esto es bastante trascendental, ¿no crees?

7. *Tu sinceridad*: Todo el mundo quiere disfrutar de una buena comunicación con los demás. Pues bien, la buena comunicación en casa comienza cuando eres sincera con tus padres. Una autora que conozco y respeto mucho contó esta historia de sus días de adolescente. Su amiga recibió un auto nuevo como regalo de su decimosexto cumpleaños y pasó a buscarla para dar una vuelta. Sin embargo, en algún momento durante el viaje, otra chica,

que no tenía carné de conducir, se puso al volante y empezó a manejar. Y ya te imaginas lo que pasó: ¡tuvieron un accidente! Entonces sus «amigas» le pidieron que mintiera sobre quién iba al volante. Pues bien, a medida que los padres iban llegando al lugar del accidente, las primeras palabras que salieron de la boca de las madres fueron: «¿Quién manejaba el auto?». Después que mi amiga decidiera decir la verdad (e ir contra los deseos de sus compañeras), una madre dijo: «Acabo de hablar con una vecina que las vio a las tres pasar con el auto, y me dijo quién era la que manejaba. Si me hubieras mentido, no habría vuelto a confiar en ti»[14].

La vida a veces es muy compleja. Y muchas veces terminamos en situaciones que no escogimos, como le pasó a esta chica. Aun así, no importa lo que te ocurra, siempre debes decir la verdad. Esto es lo que hace una mujer conforme al corazón de Dios. ¿Por qué? Porque, en primer lugar, no debería tener nada que esconder si anda en el camino de Dios de la obediencia. Y, segundo, la sinceridad es el fundamento para toda buena relación... es especial tu relación con tus padres. Así que adquiere el hábito de decir la verdad. Este es un hábito que ennoblece el carácter.

8. *Tu capacidad de dar*: Si pudiera desearte una cosa, si se me concediera una petición por ti mientras lees y terminas este libro, sería esta: Oraría para que comenzaras hoy a caminar por la vida siendo una dadora. El mundo parece estar dividido en dos tipos de personas: los que dan y las que toman. La primera, la que da, es una persona orientada a los *demás* y la otra, la que toma, está centrada en *sí* misma. Los que piensan en los demás son como Cristo, y los que piensan en sí mismos tienden a mentir y engañar, a manipular y hacer la vista gorda. Sus corazones están puestos en ellos mismos, y no en Cristo ni en los demás.

Por eso, mi querida amiga, ¡me gustaría que fueras una dadora! Quiero que te distingas en la vida de otros. Quiero que te unas a mí en mi objetivo de mejorar la vida de cada persona que Dios permita que se cruce en mi camino. Quiero que le preguntes sin cesar al Señor y a tu corazón: «¿Qué puedo dar?» en cada situación. Y «cada situación» incluye, primero y por encima de todo, tu situación en casa. ¿Por qué? Porque como eres en casa es como eres en verdad.

Aquí tienes una pequeña ayuda visual. Imagínate que eres la persona más rica del mundo. En tu mano está bendecir a los demás en todo el mundo por cada cosa que tienes que dar y compartir con otros. Después imagínate que vas por un camino, por una carretera, o por una calle (o el pasillo de la escuela). Y ahí estás... literalmente despojándote de tus riquezas, dándoselas en abundancia a todos los que pasan por tu lado. ¡Sonríes! ¡Los saludas! ¡Y les das algo!

Ah, ¡cuánto deseo que esta mujer fueras tú! (Y, ah, ¡cuánto deseo que esta mujer fuera yo!). Y si piensas en esto, ¡tenemos mucho que dar! Tenemos vida en Cristo (2 Timoteo 1:1). Dios nos ha bendecido con toda bendición espiritual en lugares celestiales en Cristo (Efesios 1:3). Incluso tenemos el amor de Dios, su alegría, paz, paciencia, amabilidad, bondad, fidelidad, humildad y dominio propio (Gálatas 5:22-23). ¡Tenemos muuuuucho que dar! Por lo tanto, comencemos donde cuenta más, en casa, y vamos a darle primero a los de casa. Créeme, si eres capaz de hacer esto en casa, ¡lo haces en cualquier sitio! (Claro que sí, y mientras das, recuerda este principio: *¡Dar... sin esperar nada a cambio!* [Lucas 6:35]).

## Respuesta del corazón

¡Eres fabulosa al quedarte conmigo a lo largo de todos estos importantes ejercicios del corazón! El mío está lleno de cosas maravillosas que deseo comunicarte. No quiero que batalles y caigas, que sufras y fracases como me pasó a mí cuando intentaba ser cada día más una mujer conforme al corazón de Dios. Quiero que *sepas* cuál es el gran plan que Dios tiene para tu vida como mujer. Creo que estoy intentando darte algunos atajos para el crecimiento espiritual. Mi visión para ti es grande. ¡Muy grande! Hay muchas cosas que Dios desea para ti, ¡y yo las deseo también!

Ahora, por favor, no dejes este capítulo sin darle a Dios tu respuesta del corazón concerniente a un corazón sometido. Examina tu corazón. ¿Cuál es tu actitud? ¿Cómo está tu cuarto? ¿Cooperas con tus padres? ¿Brindas tu ayuda y tus oraciones? ¿Es tu corazón sometido, sincero y que da con alegría? Ora como David:

*Examíname, oh Dios, y sondea mi corazón;*
*ponme a prueba y sondea mis pensamientos.*
*Fíjate si voy por mal camino,*
*y guíame por el camino eterno.*
Salmo 139:23-24

## Cosas que podemos hacer hoy para desarrollar un corazón que se someta

♡ Practica decir: «¿Cómo te puedo ayudar?» tres veces en frente de un espejo. Después ve con tu mamá y díselo. (PD: ¡Prepárate para agarrarla si se desmaya!).

♡ Piensa en tu cooperación y sumisión en tu familia. ¿Cuáles son las tres cosas más difíciles de hacer en este asunto de la unidad familiar? Pon estas tres cosas en tu lista de oración diaria por ti... y después ora de modo que cooperes y te sometas la próxima vez que tengas la oportunidad.

♡ Determina, solo por hoy, dar más a los miembros de tu familia. Determina dar una sonrisa, un saludo cariñoso, un toque afectivo, una mano ayudadora y tus palabras de ánimo. Hazlo... sin importarte la respuesta. Haz lo que Jesús hizo: «Anduvo haciendo el bien» (Hechos 10:38).

## ¿Te gustaría saber más? Echa un vistazo

✓ Lee Efesios 5:21-24, enumerando las personas que se mencionan y a quiénes se tienen que someter y por qué. Como ejercicio extra, lee desde el versículo 25 al 28 y haz lo mismo. ¿Qué aprendiste?

✓ Lee 1 Pedro 2:13-18. De nuevo, enumera las personas que se mencionan y a quién se tienen que someter. ¿Qué has aprendido?

✓ Sigue mirando al plan de Dios para la familia leyendo Efesios 6:1-4 y Colosenses 3:18-21. Enumera las instrucciones que se dan a cada miembro de la familia. ¿Te has visto reflejada en ello? ¿Estás demostrando un corazón consagrado a Dios al obedecer las instrucciones de Dios, o tienes que hacer algunos cambios? ¿Qué cambios?

✓ Ahora lee, en una actitud de oración, 1 Pedro 2:21-24. Escribe cómo Jesús se sometió a la voluntad de Dios para su vida. Después escribe una oración de agradecimiento a Dios por enviar a su Hijo a morir por los pecados, tus pecados, y por la obediencia de Jesús a la voluntad de su Padre.

# 8

# Un corazón que ama

*Este mandamiento nuevo les doy: que se amen los unos a los otros [...] De este modo todos sabrán que son mis discípulos, si se aman los unos a los otros.*
JUAN 13:34-35

Si eres como yo, admirarás a los hombres y las mujeres de la Biblia que mostraron una gran fe y un corazón conforme al de Dios. Pues bien, ¿me permites presentarte a tres gigantes de la fe? Cada uno de ellos amó y obedeció a Dios. Y cada uno de ellos le sirvió hasta su último aliento.

Es probable que el primero de ellos sea el más conocido. Su nombre es Moisés. ¡Caramba, vaya hombre de Dios! Es más, le apodaron como «el más grande líder judío»[15]. Moisés no solo sacó a los israelitas de Egipto, sino que también fue el que recibió, de parte de Dios, los Diez Mandamientos. Moisés tuvo una vida bastante dura, pero estaba consagrado a Dios y, al final, se convirtió en el profeta de Dios y el escritor de los primeros cinco libros de la Biblia, llamados el Pentateuco. Podemos decir, sin lugar a dudas, que Moisés «vivió» para Dios.

El segundo gigante es Aarón. Este hombre justo fue el primer sumo sacerdote de Dios en Israel. En realidad, ¡esto fue un privilegio! También fue el hombre que Dios escogió para comunicarse por Moisés con el rey de Egipto, para ser la mano derecha de Moisés y para hablar por él. Es evidente que Aarón también vivió para Dios.

El tercer gran gigante fue una «giganta», una mujer. Su nombre es Miriam. Esta mujer era profetisa, una líder de las mujeres, una mujer que escribió canciones de alabanza a Dios y sabía cómo usar su cabeza cuando estaba bajo presión. Miriam también vivió para Dios.

Ahora bien, aquí tenemos algo más sobre estas tres increíbles personas: ¡los tres eran hermanos! Dos hermanos y una hermana que Dios usó con poder. Eran familia.

## *Ama a tus hermanos*

Es triste oír a alguien decir que su hermano o hermana es su mayor quebradero de cabeza en la vida. Para citar al apóstol Santiago: «Hermanos míos, esto no debe ser así» (Santiago 3:10).

¡Y no es así! Dios quiere que en sus familias se amen entre sí y le sirvan. Y la Biblia contiene un gran número de hermanos que sirvieron juntos a Dios como un equipo. Por ejemplo:

- Los hermanos Moisés, Aarón y Miriam sirvieron juntos a Dios.
- Los hermanos Pedro y Andrés siguieron a Jesús y se convirtieron en dos de sus doce discípulos (Mateo 4:18 y 10:2).
- Los hermanos Jacobo y Juan siguieron a Jesús y se convirtieron en dos de sus doce discípulos (Mateo 4:21). Es más, Jesús apodó a estos hermanos «hijos del trueno» (Marcos 3:17).
- Las hermanas María y Marta y su hermano, Lázaro, eran seguidores consagrados de Jesús. Juntos cuidaron con fidelidad de Jesús y sus discípulos (Lucas 10:38; Juan 12:1-2).

¿De dónde nace, nos preguntamos, un equipo de trabajo tan dinámico? Pues bien, amiga mía, esto nace del hogar, de una familia. Y nace del amor: por Dios y los unos por los otros.

## ✎ De la Palabra de Dios para tu corazón...

¿Cuál es el secreto de unas relaciones sanas entre hermanos? En una palabra: amor. Escucha lo que nuestro Salvador y el apóstol Pablo dijeron sobre el amor. A medida que vayas leyendo, piensa en lo que enseñan estos versículos sobre el amor. Y piensa de manera aun más específica en lo que nos enseñan sobre amar a nuestros hermanos. ¿Tienes que hacer algún cambio en tu actitud hacia tus hermanos o hermanas o en tu trato con ellos?

> *Este mandamiento nuevo les doy: que se amen los unos a los otros [...] De este modo todos sabrán que son mis discípulos, si se aman los unos a los otros* (Juan 13:34-35).

> *Si alguien afirma: Yo amo a Dios, pero odia a su hermano, es un mentiroso; pues el que no ama a su hermano, a quien ha visto, no puede amar a Dios, a quien no ha visto. Y él nos ha dado este mandamiento: el que ama a Dios, ame también a su hermano* (1 Juan 4:20-21).

> *Cuando el Espíritu Santo rige nuestras vidas, produce en nosotros amor [...] paciencia, benignidad, bondad [...] mansedumbre, templanza* (Gálatas 5:22-23, LBD).

## *Sí, ¿pero cómo?*

Hay muchas maneras en las que mostramos preocupación y demostramos un corazón que ama cuando se trata de los miembros de nuestra familia. Discutimos algunas de ellas en el capítulo anterior al analizar la relación con nuestros padres. Y ahora volvamos nuestros ojos (¡y corazones!) hacia nuestros hermanos, ya sean mayores o menores que nosotras. Explicaré varias esferas importantes que hablan a voces del amor. Quizá pienses en otras personas mientras lo lees y, si lo haces, anótalas al final del capítulo. Hagas lo que hagas, trata de desarrollar un corazón que ame, sobre todo un corazón que ame a los de tu círculo familiar.

1. *Respetarse unos a otros*: Cuando muestras respeto por el territorio, el cuarto, las pertenencias y la privacidad de otra persona, tu relación con esa persona mejora mucho, ¡y al instante! Tú sabes qué se siente cuando violan tu privacidad, cuando otros usan tus cosas sin pedir permiso, cuando alguien irrumpe en tu cuarto sin antes llamar a la puerta, cuando alguien lee tu diario personal o tu correspondencia... ¡o tus correos electrónicos! Pues bien, tú tienes que respetar el espacio de los demás del mismo modo que quieres que respeten el tuyo. Aun si compartes el cuarto con tu hermana, una parte de ese cuarto es su territorio. Entonces, ¿por qué no empezar a mejorar las relaciones con tu familia mostrando más respeto por ellos al respetar lo que es suyo?

2. *Escucharse unos a otros*: En cualquier amistad, la comunicación supone nueve partes de entre diez en una relación. Ya sabes lo que pasa con tu mejor amiga: podrías hablar con ella durante horas... ¡lo cual significa que estás escuchando buena parte de ese tiempo! Así que, ponte como meta aprender a comunicarte mejor con tu familia. Si pueden hablarse unos a otros, llegarán a ser amigos, ¡quizá los mejores amigos! Y escuchar es una parte importante

a la hora de relacionarte con los demás. Por lo tanto, sé creativa. Sal de ti misma. Haz una cita regular con tu hermano o hermana. Si se está bañando en la piscina, ve a su lado o floten en una balsa para hablar, compartir, hacer preguntas, jugar, etc. Si compartes tu cuarto con una hermana o dos, pónganse al corriente de sus vidas cuando se duerman y, sobre todo, ora con tus hermanos... y por ellos. No tiene que ser nada largo ni pesado, solo una corta oración de hermanos que se quieren. No te preocupes si creen que eso es algo tonto o estúpido. Se acostumbrarán a ello y lo irán apreciando. Y, luego, ¡no te sorprendas si empiezan a acudir a ti con sus problemas y a pedirte por favor que ores con ellos!

3. *Servirse unos a otros*: Dios nos dio oídos para oír y ojos para ver (Proverbios 20:12). Y es duro vivir bajo el mismo techo y no ver ni oír cómo tus hermanos necesitan la ayuda de alguien... ¡quien sea!... ¡incluso la *tuya*! Por lo tanto, pídele a Dios que te haga más sensible a las necesidades de tus hermanos para servirlos. Pídele que abra tus oídos y tus ojos (¡y corazón!). Por ejemplo, cuando veas a tu hermano llevar una carga pesada, o que sube los escalones de la puerta principal de espaldas por el peso, ve y dile: «Déjame abrirte la puerta». Además, todos perdemos cosas (¡y ya sabes lo frustrante que es!). Así que ofrécete voluntaria para ayudar a buscar. Y cuando estés lavando tu ropa y veas que la ropa de tu hermano ya ha terminado, métela en el cesto y dile: «Saqué tu ropa de la lavadora. ¿Quieres que te ayude a doblarla?».

4. *Ayudarse unos a otros*: Ya analizamos este punto en el capítulo que hablamos de tus padres, así que espero que esta actitud que tuvo Cristo sea parte de tu comportamiento diario. Haz lo mismo con tus hermanos. Pregúntales también: «¿Cómo te puedo ayudar?». Cuando estén haciendo

sus deberes, cuando salgan tarde, cuando estén intentando aprender los versículos para su reunión de jóvenes, tiéndeles una mano de ayuda y un corazón comprensivo. Intenta buscar formas de ayudarlos. Todo el mundo aprecia, y necesita, que alguien le eche una mano.

5. *Compartir unos con otros*: Cuando hablo de compartir unos con otros, no me refiero solo a ropa y cosas, sino también al intercambio de ideas y sueños. Si eres capaz de entrar en el corazón de los demás, podrás orar, animar, apoyar y ayudar mejor a esa persona... ¡aun cuando esa persona sea tu hermano! Y, mientras lo haces, no te olvides de enseñar los versículos y los principios que estás aprendiendo de la Biblia. Y adoren juntos. ¡Una nunca sabe cuándo el versículo que dijiste o escribiste será lo único que necesiten para atravesar un día difícil! Mientras más logren compartir juntos, más amigos llegarán a ser.

6. *Tocarse unos a otros*: Tengo dos cosas que quiero decir en este asunto de tocarse unos a otros: la primera es positiva y la segunda negativa. Así que primero la positiva. Me encanta cuando veo a hermanos que caminan con el brazo por encima de los hombros del otro, o con los brazos alrededor del otro, abrazados, dándose golpecitos en la espalda, incluso chocando los cinco. Este afecto es un privilegio y una exteriorización de la proximidad natural que viene de ser parte de una familia. En muchos sentidos, ningún otro tiene ese privilegio. Por eso sé generosa con tus abrazos y tu afecto genuino.

   Sin embargo, también hay una parte negativa. Un día, cuando mi esposo y yo nos registrábamos en un hotel, había una familia que esperaba detrás de nosotros haciendo fila. Durante todo el tiempo que estuvimos hablando con la persona del mostrador, los tres hijos de esta familia (todos adolescentes) estuvieron dándose patadas en el trasero, puñetazos en el hombro, bofetadas en la cara y haciéndose otras cuantas cosas unos a otros que ni siquiera quiero mencionar... mientras los padres miraban sin hacer nada. ¡Era evidente que en esa familia el «afecto» físico y el toque se habían llevado a un extremo! Yo me sentí apenada (y enojada) por la hija y hermana a cuyo cuerpo y dignidad trataron sus hermanos con tanta falta de respeto. Y me sentí apenada (y enojada) de que a los dos hermanos se les permitiera tratar así a su hermana, una jovencita, de esa forma tan irrespetuosa. Me enfermaba con solo pensar en que esos dos hermanos tan rudos serían los futuros novios y esposos de alguna pobre muchacha.

Así que lo que quiero decirte, sin importarme hasta dónde (¡o qué bajo!) haya caído el «estándar familiar», ni dónde hayan o no hayan puesto tus padres los límites, *tú* debes tratar los cuerpos y las personas de tus hermanos con un profundo respeto y dignidad. *¡No los toques de manera indebida!* Estoy segura que querrías lo mismo para ti. Por lo tanto, empieza contigo misma y «traten a los demás tal y como quieren que ellos los traten a ustedes» (Lucas 6:31).

7. *Orar unos por otros*: ¡Aquí aparece de nuevo! ¡La oración! Simplemente, ¡nunca oras lo suficiente por tus hermanos! Y recuerda también que cuando oras por otros, Dios cambia tu corazón, te da su amor y sabiduría, y muchas veces actúa en los corazones de los que estás orando. De modo que piensa en la cosa más grande que le pudieras pedir a Dios por tus hermanos. ¿Necesitan conocer a Cristo? ¡Entonces ora! ¿Necesitan llevarse mejor con mamá y papá? ¡Entonces ora! ¿Necesitan un amigo, un trabajo, mejores calificaciones? ¡Entonces ora! ¿Están intentando tomar una buena decisión, como la de ir o no a la

universidad, o a qué universidad? ¡Entonces ora! ¿Está alguno de ellos teniendo una relación no muy buena con su novio? ¡Entonces ora! La Biblia nos manda que oremos «unos por otros» (Santiago 5:16) y nos asegura que los oídos de Dios están atentos a nuestras oraciones (1 Pedro 3:12). Así que tómate un tiempo para orar por tus hermanos. Como dijo una vez alguien conocido como el «cristiano de rodillas»: «La oración es nuestro mayor privilegio, nuestra más grande responsabilidad y el poder más grande que Dios ha puesto en nuestras manos». ¡¿Quién sabe lo que Dios puede hacer?!

8. *Animarse unos a otros*: Cada uno de nosotros puede utilizar el ánimo. A todos los adolescentes los agobian las tareas, las calificaciones y entablar amistades y llevarse bien con ellas. Sí, todos podemos usar una palabra amistosa de ánimo de una hermana que viene a nuestro lado con alegría. Todos podemos usar un: «¡Bien hecho, sigue así, estoy orgullosa y contenta de ser tu hermana!». Y no nos olvidemos de animarnos unos a otros en el Señor. Esto es lo que hicieron dos famosos amigos en la Biblia, Jonatán y David, que se animaron el uno al otro «a seguir confiando en Dios» (1 Samuel 23:16).

Como dije antes, todos anhelamos tener una relación cercana con alguien que nos respete, ayude, comparta, anime y escuche. ¡Y esa incluye a tus hermanos! Entonces, ¿por qué no ser ese alguien en sus vidas? ¿Por qué no te vistes de un corazón que ama, y haces que tu primera prioridad en tu departamento del amor sean los que viven bajo tu mismo techo?

## Respuesta del corazón

Comenzamos este capítulo tan importante observando a un equipo de dos hermanos y una hermana a quienes Dios usó con poder. ¡Qué refrescante! ¡Qué inspirador!

Es lamentable, sin embargo, que la Biblia también contenga historias de hermanos que fueron de todo menos de lo que Dios deseaba que fueran. Por ejemplo, Caín mató a su hermano Abel (Génesis 4:8). Las hermanas Raquel y Lea se odiaban y envidiaban la una a la otra (Génesis 30:1). Y los hermanos de José le odiaron y envidiaron tanto, que lo vendieron como esclavo a unos mercaderes (Génesis 37:26-27).

Por eso, quiero terminar nuestro tiempo de discusión sobre temas de familia con el mayor «cómo» de todos en relación a un corazón que ama. Es un mandamiento de Dios para nosotros que nos *amemos unos a otros*. Aquí tenemos una definición de amor que abrió mis ojos para entender lo que significa amarse unos a otros: El *amor* es un sentimiento tanto de la mente como del corazón; tiene que ver tanto con la voluntad como con las emociones; describe el esfuerzo deliberado que solo podemos hacer con la ayuda de Dios.

En pocas palabras, amar no es una emoción, sino una acción. Amar son las cosas que hacemos... y las que dejamos de hacer. Y amar es una decisión. Amar es un acto de la voluntad. ¡Además, alabado sea Dios, tenemos su ayuda en dar muestras de su fruto del Espíritu, su amor, en nuestros corazones y nuestras vidas cuando le miramos a Él (Gálatas 5:22)!

Por lo tanto... dejemos las disputas familiares a un lado y permitamos que el amor de Dios resida en nuestros corazones. ¡Seamos *hermanas* conforme al corazón de Dios!

## Cosas que podemos hacer hoy para desarrollar un corazón que ame

♡ Escribe una pequeña nota de ánimo a cada uno de tus hermanos.

♡ Sigue buscando formas de servir a tus hermanos. También bríndate para ayudar.

♡ Dedica una página de tu cuaderno de oración a cada uno de tus hermanos. (¡Y no te olvides de orar!).

## ¿Te gustaría saber más? Echa un vistazo

- ✓ La historia del amor de Miriam por su hermanito, Moisés, la encontramos en Éxodo 2:1-10. ¿De qué forma tocó tu corazón la ayuda de Miriam a su mamá y su preocupación por su hermanito?

- ✓ La historia del servicio conjunto de Miriam, Aarón y Moisés a Dios se destaca en Éxodo 15:1, 20-21 cuando celebran la liberación de Dios de su pueblo. ¿Cómo te desafía el ejemplo de este grupo en tu relación con tus hermanos?

✓ Es triste, pero la historia de los celos de Miriam y Aarón contra su hermano Moisés oscurece lo que hubiera sido una buena relación (Números 12:1-16). ¿Cómo le habla a tu corazón la envidia de su hermano?

✓ La Palabra de Dios define el «amor» en 1 Corintios 13:4-7. ¿En qué aspectos necesitas trabajar en tus relaciones con tus hermanos?

# 9

# Un corazón que se preocupa

*La mujer sabia edifica su casa.*
PROVERBIOS 14:1

Tener dos hijas me ha permitido experimentar muchas veces una situación agridulce en particular. Esa situación que se repetía era el día de cada otoño en que llevaba a mis hijas con todas sus pertenencias a su campus universitario y las ayudaba a acomodarse en la residencia de estudiantes para otro año escolar. Por supuesto, estaba contenta de que crecieran, me alegraba de que aceptaran el reto de conseguir una educación universitaria, y me alegraba de las muchas y maravillosas amigas y aventuras que les esperaban. Sin embargo, no podía evitarlo: me daba tristeza despedirme de mis hijas, quienes eran también mis amigas. Y me ponía sobre todo triste dejarlas en un dormitorio austero, pobre y vacío que no tenía nada, salvo un desnudo colchón. ¡Más de una vez volví a casa llorando!

Con todo, pronto llegaba la tan esperada «Noche de los padres», en la que a Jim y a mí (junto con todos los padres de los demás estudiantes) nos invitaban a visitar el centro para conocer las instalaciones. Pues bien, ¡no puedo describirte el gozo y la sorpresa que recibimos cuando entramos en los cubículos de nuestras hijas! ¡Sus cuartos estaban transformados de una manera milagrosa! Lo que antes tenía un aspecto triste, ahora estaba lleno de belleza y tenía el toque, único y personal, que Katherine y Courtney quisieron darle a sus habitaciones. Había adornos, flores secas y lazos, fotografías y carteles, juegos de té y peceras, velas y cestas con hiedras. La música sonaba y la luz especial y las lámparas creaban un ambiente muy cálido.

¡Estoy segura de que no tengo que decirte que me fui de la «Noche de los padres» mucho más contenta! ¿Por qué? Porque mis hijas ahora tenían un hogar lejos de su hogar. Aun así, lo más sorprendente que vi fue saber que cada una de mis hijas lo había hecho sola. Cada una de ellas tomó sus propias «cosas» de su casa verdadera y las usó para crear un segundo hogar. Al final, cambiaron la nada (dormitorios vacíos y austeros) en algo: una bella expresión de sus bonitos corazones.

### *Tu propio «hogar, dulce hogar»*

¿Y cómo florecieron las habilidades de mis hijas? ¿Y dónde aprendieron a decorar, a «preocuparse» por las pequeñas cosas, a expresarse a sí mismas, a construir un nido, a limpiar y organizar, a hacer bonitos trabajos manuales, a crear lugares que ministren no solo a ellas sino también a todas las incontables personas que pasarían por los pasillos de sus dormitorios?

Pues bien, la respuesta se resume en una sola palabra: aprendieron estas habilidades caseras en el *hogar.* Y su aprendizaje fue una cooperación entre mis hijas y yo. He aquí cómo ocurrió.

Antes dije que no crecí en el cristianismo. Por lo tanto, comencé a ser un bebé espiritual a los veintiocho años de edad... ¡y desde cero en el departamento de ama de casa! Era una principiante en recuperación, alguien que estaba definitivamente muy por debajo y muy necesitada de ayuda. Con todo, también tenía muchas ganas de aprender, ¡necesitaba con urgencia saber más! ¡Hacía ocho años que me había casado, tenía dos pequeñas en edades preescolares y una pocilga por hogar!

Sin embargo, cuando comencé a leer mi nueva Biblia, tomé un marcador rosa y comencé a marcar todo lo que leía relacionado a ser una mujer cristiana, una esposa, madre y ama de casa. A medida que Dios hablaba a mi corazón por medio de su Palabra, creció mi conocimiento de lo que Dios quería que fuera y de lo que quería que hiciera. No pasó mucho tiempo antes de que mi hambriento corazón comenzara a responder. Fue entonces cuando aprendí a construir mi propio «hogar, dulce hogar» a fin de que mi familia recibiera bendición. Compré y leí libros, me reuní con mujeres mayores y más sabias que yo y trabajé duro. ¡Pero al final «lo logré»!

Como no quería que Katherine y Courtney sufrieran por ignorantes (y por el descuido), como yo, comencé a enseñarles lo que estaba aprendiendo. Después, todo lo que hacía para cuidar de mi «casa» (de toda la casa), mis hijas comenzaron a hacerlo en su «pequeña casa» (su cuarto), en su propio hogar, dulce hogar.

## ✎ *De la Palabra de Dios para tu corazón...*

¿Qué es lo que tú y yo encontramos en la Biblia que nos habla con exactitud de lo que Dios tiene en mente para nosotras como mujeres conforme a su corazón en la esfera de nuestro «hogar, dulce hogar»? He aquí algunos pasajes clave. Cuando los leas, por favor piensa en cosas que deberías hacer para mejorar. ¿Necesitas un cambio de actitud? ¿Necesitas mejores habilidades? ¿Necesitas ayuda?

> *La mujer sabia edifica su casa; la necia, con sus manos la destruye* (Proverbios 14:1).

> *Con sabiduría se construye la casa; con inteligencia se echan los cimientos. Con buen juicio se llenan*

*sus cuartos de bellos y extraordinarios tesoros* (Proverbios 24:3-4).

*[La mujer ejemplar] está atenta a la marcha de su hogar, y el pan que come no es fruto del ocio* (Proverbios 31:27).

*A las ancianas, enséñales que... aconsejen a las jóvenes... cuidadosas del hogar* (Tito 2:3-5).

### *Sí, ¿pero cómo?*

Estos versículos describen un cuadro de lo que hace una mujer sabia: construye, cuida, vela y trabaja fuera para crear un «hogar, dulce hogar». Cuando se es soltera, ese hogar es el sitio en el que vives. Ya sea que vivas en tu propio cuarto de la casa de tus padres o que lo compartas con una hermana o dos (¡conozco una familia cuyas cuatro hijas comparten el mismo cuarto!). Ya sea que vivas en un apartamento o un dormitorio como el de mis hijas, el sitio donde vivas es el que tienes que «edificar». Tienes que hacer de él tu «hogar, dulce hogar».

Por lo tanto, he aquí algunos consejos sobre cómo edificar un hogar, dulce hogar.

1. *Aprende lo básico*: Tan solo hay un puñado de cosas básicas a la hora de cuidar tu cuarto: limpiar el polvo, pasar la

aspiradora, limpiar, lavar la ropa y organizar. Y, como cualquier otra técnica, se aprenden con la práctica. Cuanto más hagas algo, más fácil te resultará... hasta que muy pronto lograrás hacerlo sin pensarlo.

Yo les enseñé a mis hijas estas cosas básicas, y las tres juntas las hicimos una y otra vez hasta que fuimos capaces de hacerlas con rapidez. Después, milagro de milagros, nos sentimos llenas de gozo al contemplar nuestro trabajo. Nuestros rostros brillaban (igual que nuestras habitaciones limpias) con un sentimiento de orgullo por el resultado final y el sentimiento reconfortante de haber logrado terminar algo.

No obstante, la gran bendición es esta. Cuando Katherine y Courtney se casaron, ¿sabes qué? ¡Hacer las tareas del hogar no fue nada complicado para ellas! Cuidar de un «hogar» no fue un problema, ¿por qué? Porque, básicamente, lo hicieron durante toda su vida en su pequeño hogar, dulce hogar: en su cuarto. Su conocimiento de lo básico les permitió concentrarse solo en un gran asunto como recién casadas: ¡aprender a ser *esposas*! Y enseguida llegaron los bebés y otra nueva gran tarea: ¡aprender a ser *madres*! (¡Estoy segura de que has entendido el cuadro!).

2. *Haz tu parte*: Dondequiera que vivas y con quienquiera que lo compartas, ya sea con familiares o compañeras de cuarto, asegúrate de hacer tu parte del trabajo. No intentes evitar el trabajo porque es un mal hábito, ¡y muy difícil de romper! En su lugar, ¡ponte como objetivo hacer tu parte y hacerlo con excelencia! Como dice la Biblia: «Y todo lo que te venga a la mano hazlo con todo tu empeño» y «Hagan lo que hagan, trabajen de buena gana, como para el Señor y no como para nadie en este mundo» (Eclesiastés 9:10 y Colosenses 3:23). ¡Este es también un buen momento para aplicar el concepto de Jesús del

«kilómetro extra» en tu corazón (Mateo 5:41) al hacer más de lo que sea tu parte!

3. *Bríndate para ayudar*: Si tu mamá está en la cocina preparando la comida, bríndate para ayudarla. Te sorprenderás de lo que vas a aprender. (Escuché una vez a una madre de seis hijos decir que todos sus hijos aprendieron a cocinar a los siete años, que se podían hacer su comida si era necesario. Nos explicó que hacían turnos para cocinar con ella, pero que cada uno elegía su plato favorito. Oye, ¡esto es motivador!). ¡Así que bríndate! Y no te olvides de lo mucho que a todo el mundo le gusta oír esas palabras: «¿Cómo te puedo ayudar?». Ponte la meta de ser como Jesús, «que anduvo haciendo el bien» (Hechos 10:38). Recuerda sus palabras, cuando dijo que «más bienaventurado es dar que recibir» (Hechos 20:35). Y recuerda también que Él nos dijo que diéramos «sin esperar nada a cambio» (Lucas 6:35).

4. *Pide ayuda si lo necesitas*: Como dijo la instrucción en Tito 2:3-5, las mujeres tienen que enseñarse unas a otras cómo cuidar de sus casas. Así que si necesitas ayuda, ve y consíguela. Pídela. Ya sea que la ayuda venga de tu mamá o de cualquier otra persona, busca ayuda en este aspecto vital de ser una mujer conforme al corazón de Dios.

5. *Desarrolla un corazón que se preocupe*: ¿Te habías fijado en el título de este capítulo? Lo titulé «Un corazón que se preocupa» y esta es la clave, tanto para ti como para mí, cuando se trata de nuestro sitio en el hogar. Solo tenemos que preocuparnos. Y a mí me ayuda a preocuparme saber que *Dios* quiere que me preocupe. Y me ayuda a preocuparme cuando reconozco que *lo que soy en casa es lo que soy en verdad*. Solo tengo dos opciones: o soy sucia o soy limpia. O estoy sepultada bajo las cosas o estoy encima de las

cosas. O soy desorganizada o soy ordenada. O vivo en un caos o tengo un plan a seguir. O soy irresponsable o soy responsable. Por lo tanto, pregúntate (como yo me pregunto a menudo): ¿Cómo voy en cuanto a mi hogar, mi economía, mi ropa? ¿Qué aspectos de mi carácter se manifiestan al preocuparme de mi casa? Tus respuestas te contarán toda la historia (¡y espero que sea buena!).

6. *Aparta un tiempo*: ¡El mayor reto a la hora de cuidar de tu hogar, dulce hogar es siempre sacar *tiempo*! Así que debes *establecer* el tiempo. ¿Cómo? Cada semana toma tu calendario en mano y aparta una hora o dos para cuidar de tu cuarto. Esto es más o menos lo que te llevará lavar y secar tu ropa, limpiar el polvo, aspirar tu cuarto y arreglar los cajones. Sí, es posible que tengas que limpiar un poquito tu baño y quitar algunas manchas del lavabo y del espejo, pero esto solo te llevará unos minutos. Después sigue adelante con tu plan. Si te llama una amiga, ¡fija otro momento o dile que ya se verán cuando acabes de limpiar tu cuarto! Qué bonita recompensa para ti... y qué buen ejemplo para tu amiga (¡y ni qué decir para tu familia!). Lo cual me hace recordar que no te olvides que el lugar en que vives, tu cuarto, no es tuyo en realidad, ¡le pertenece a tus padres! Así que, asegúrate de trabajar en la siguiente práctica.

7. *Sigue estas «Reglas de oro para la convivencia»*: No solo te ayudarán a edificar tu propio hogar, dulce hogar, ¡sino que te ayudarán a llevarte bien con quienes tienes que compartirlo!

Si abres, cierra.
Si enciendes, apaga.
Si lo desabrochas, abróchalo.
Si lo rompes, admítelo.

Si no puedes arreglarlo, llama a alguien que pueda.
Si lo tomas prestado, devuélvelo.
Si lo valoras, cuídalo.
Si ensucias, limpia.
Si lo quitas de lugar, ponlo de nuevo en su lugar.
Si no es tuyo, pide permiso para usarlo.
Si no sabes cómo funciona, no lo toques.
Si no es de tu incumbencia, no preguntes[16].

## Respuesta del corazón

Querida hermana y amiga, ¿estás entendiendo la visión de Dios para ti y para tu lugar? ¿Ves el valor de aprender a cuidar del lugar en que vives? ¿De aprender a hacer lo necesario para cuidar el sitio en el que vives?

Haz un inventario de la actitud de tu corazón hacia ese precioso sitio que llamas hogar, el lugar en que vives, tu lugar. Si no puedes preocuparte menos de lo que te preocupas por el aspecto de tu lugar, pídele a Dios que lleve a cabo en ti una operación a corazón abierto. Pídele que lo abra y te dé un corazón que se preocupe por esto.

Ya hablamos de cómo tu vida en casa es el campo de capacitación para tu futura relación con tu esposo y tus hijos (si el Señor quiere). Pues bien, querida, la casa es también el lugar de capacitación para tu trabajo ético, ya sea que esta palabra ética la usemos para el hogar como ama de casa, o en un trabajo, o en el campo misionero. Cuando te cases (si lo haces), ya sea que obtengas un trabajo, o sirvas en el campo misionero, llevarás contigo los aspectos de carácter que hayas aprendido en casa (al cuidar de ti y de tu cuarto). O bien serás desordenada en tu lugar de servicio, o serás meticulosa. O bien serás perezosa y poco fiable o serás diligente. O bien serás poco imaginativa o serás creativa. O bien serás desordenada o serás organizada. O bien serás descuidada y esporádica o trabajarás bajo un plan y una agenda. Ves, ¡siempre llevarás contigo lo que eres! ¡Lo que eres en casa es lo que eres en verdad!

Entonces, ¿qué será determinante? La respuesta la encontramos en la actitud que desarrollas ahora mismo en tu casa. El cuidado que tengas de ti misma, de tus cosas y de las cosas de los demás que están en casa contigo, y el esfuerzo que hagas en casa hoy se prolongará en tu futuro. *Lo que serás mañana es lo que haces hoy.*

## Cosas que podemos hacer hoy para desarrollar un corazón que se preocupe

♡ Haz una lista de todos los «toques» que tienes que dar y de las tareas que tienes que hacer a fin de convertir tu cuarto en tu «hogar, dulce hogar».

♡ ¿Hay algunas cosas básicas en las que necesitas ayuda? Si es así, ¿a quién vas a pedírsela?

♡ Aparta algún tiempo en tu agenda esta semana para empezar a trabajar en las cosas de tu lista.

## *¿Te gustaría saber más? Echa un vistazo*

- ✓ Las muchas obras de amor hechas por la mujer honrada en Proverbios 31 prueban su amor por su casa y su familia. Lee Proverbios 31:10-31. ¿Qué es lo que más te impacta? ¿Y cuál de sus esfuerzos puedes poner en práctica a fin de mejorar tu vida y el lugar que es tu «hogar, dulce hogar»?

- ✓ Con relación a la mujer de Proverbios 31, ¿qué aspectos de carácter son evidentes en la descripción que Dios hace de ella? Insisto, ¿qué es lo que más te impacta? ¿Y cuáles de sus destacadas capacidades puedes (o debes) intentar desarrollar en tu vida y tu corazón?

# 10

# Un corazón que escoge con sabiduría

*El que con sabios anda, sabio se vuelve;*
*el que con necios se junta, saldrá mal parado.*
PROVERBIOS 13:20

La semana pasada escuché a mi dulce, amable, paciente y comprensivo esposo, Jim, en el teléfono con nuestra compañía de teléfono móvil. Parece que me había pasado de la cantidad de minutos por la que pagamos cada mes en mi número. Estaba horrorizada... ¡porque ya pagamos por bastantes minutos! Entonces, ¿más? Sabía que la mayoría de esos minutos los pasamos hablando con muchas personas de muchas cosas que no tienen nada que ver con nuestros amigos y nuestras amistades. Sin embargo, también sabía que algunos de esos muchos minutos (¿cuántos?, me preguntaba) los había pasado hablando con mis amigas.

Mis amigas son importantes para mí, como estoy segura que las tuyas lo son para ti. Y, querida amiga, así es como debería ser. La Biblia dice que a ti y a mí nos crearon a imagen de Dios (Génesis 1:26). Eso significa que nos parecemos a Dios de muchas y especiales maneras. Y una de esas maneras es que, al igual que Dios, somos seres sociables. Esto significa que...

- *Tenemos comunión con Dios*: Dios nos creó para tener comunión con Él mismo. Dios no nos *necesitaba* como amigas, pero *decidió* ser nuestro amigo y tener compañerismo con nosotras, y

- *Tenemos comunión con Jesucristo*: El Hijo de Dios, Jesús, nos escogió para ser sus amigas. Jesús dijo: «Ustedes son mis amigos [...] los he llamado amigos» (Juan 15:14-15).

Entender esta relación tan especial que tenemos con Dios y la comunión que tenemos con Jesucristo nos lleva a otra prioridad para una mujer conforme al corazón de Dios: *escoge sus amistades terrenales con sabiduría*. No solo es importante su relación espiritual con Dios, sino también son importantes sus relaciones físicas y humanas.

La Biblia nos da un perfecto ejemplo de una relación sana y bíblica en las vidas de David y Jonatán. Nos fijaremos en esta notable amistad más adelante pero, por ahora, comprende que Jonatán fue un amigo muy comprometido con David y viceversa. Es más, Jonatán estuvo al lado de David, ¡en realidad ayudando a David a escapar de los constantes intentos de asesinato del propio padre de Jonatán! David y Jonatán pueden enseñarnos a ti y a mí mucho sobre lo que significa escoger con sabiduría nuestras amistades.

## ***En busca de una amiga***

Sin embargo, ¿cómo logramos tú y yo encontrar una amiga como David o Jonatán? Claro, el mejor y primer paso (siempre y en todas las cosas) es ver lo que Dios dice sobre las amistades en su Palabra, la Biblia. Veamos lo que tiene que decir acerca de esto y sobre cómo escoger con sabiduría.

## ✎ *De la Palabra de Dios para tu corazón...*

La Biblia es muy clara y específica cuando nos dice qué tipo de persona buscar en una amiga... ¡y qué tipo de persona evitar como una plaga! Primero miremos en la lista de Dios de la gente que debemos rechazar como amiga. A medida que leas estos versículos, toma nota mental de la forma de hablar, el carácter y la conducta de las que, en definitiva, no deben ser tus amigas. Puedes orar por ellas, y deberías ser amigable con ellas, pero no deberían ser tus amigas. ¿Cuáles son las señales de aviso de las que debemos ser conscientes? (P.D. ¡Las advertencias de Dios también se ajustan a amigos del sexo opuesto!). (Y otra P.D.: en el lenguaje hebreo, el lenguaje en el que se escribió el libro de los Proverbios, la palabra «amigo» y «prójimo» es la misma).

> *Dichoso el hombre que no sigue el consejo de los malvados, ni se detiene en la senda de los pecadores ni cultiva la amistad de los blasfemos* (Salmo 1:1).

> *No sigas la senda de los perversos ni vayas por el camino de los malvados* (Proverbios 4:14).

> *El que con sabios anda, sabio se vuelve; el que con necios se junta, saldrá mal parado* (Proverbios 13:20).

> *El violento engaña a su prójimo y lo lleva por el mal camino* (Proverbios 16:29).

*No te hagas amigo de gente violenta, ni te juntes con los iracundos, no sea que aprendas sus malas costumbres y tú mismo caigas en la trampa* (Proverbios 22:24-25).

*El que adula a su prójimo le tiende una trampa* (Proverbios 29:5).

*Pero en esta carta quiero aclararles que no deben relacionarse con nadie que, llamándose hermano, sea inmoral o avaro, idólatra, calumniador, borracho o estafador. Con tal persona ni siquiera deben juntarse para comer* (1 Corintios 5:11).

*No se dejen engañar: Las malas compañías corrompen las buenas costumbres* (1 Corintios 15:33).

¡Uf! Es una lista bastante larga, ¿verdad? Aun así, Dios se preocupa por ti y quiere protegerte de los que te harán daño e influirán a fin de que te alejes de Dios y te inclines a hacer el mal. Ahora, pues, ¿qué piensas sobre encontrar una amiga?

Apréndete estos versículos porque son la base para unas relaciones duraderas y buenas de amistad.

> *El que con sabios anda, sabio se vuelve; el que con necios se junta, saldrá mal parado* (Proverbios 13:20).

> *No formen yunta [equipo] con los incrédulos. ¿Qué tienen en común la justicia y la maldad? ¿O qué comunión puede tener la luz con la oscuridad? [...] ¿Qué tiene en común un creyente con un incrédulo?* (2 Corintios 6:14-15).

## *Sí, ¿pero cómo?*

¿Te has dado cuenta del subtítulo de este libro? Es «Guía para jóvenes sobre los amigos, la fe, la familia y el futuro». Pues bien, aquí estamos, lidiando con la sección sobre las amigas. Miremos unas cuantas directrices a fin de encontrar una amiga, ser una amiga y construir amistades buenas y duraderas.

1. *Sigue las reglas de Dios*: Las reglas de Dios te evitarán muchos dolores de cabeza, errores y lamentos. Esquiva a las personas que estén en la lista negativa de Dios y busca de un modo activo a las que mejoren tu vida como cristiana. Aquí tienes un consejo: es probable que te encuentres a esa gente en la iglesia o en un grupo de jóvenes cristianos. Me gusta lo que dijo un hombre sobre las amistades que se forman sobre la base del amor mutuo por Dios. Escribió estas palabras para describir las cualidades esenciales en la amistad entre David y Jonatán: Ellos...

... asentían a la misma autoridad,

... conocían al mismo Dios,

... andaban por el mismo camino,

... anhelaban las mismas cosas,

... tenían sueños mutuos, y

... deseaban con fervor las mismas experiencias de santidad y adoración[17].

2. *Recuerda que es mejor no tener amistades que tener malas amistades*: No hay nada malo en florecer tarde en el departamento de las amistades. *Aférrate* a tu inocencia y carácter, y *espera* por las amistades que te hagan ser una mejor cristiana y una mejor persona en lugar de aferrarte a alguien, ¡a cualquiera!, solo por tener una amiga. Y si te sientes sola, Dios ha provisto amistades para ti.

   *Primero*, tienes un amigo en Jesús. Como dije antes, siempre puedes acudir a Jesús, porque Él dijo: «Los he llamado amigos» (Juan 15:15). Si tienes una relación personal con Jesucristo, mi amiga, ¡en Él tienes un amigo para toda la vida! Tú eres su amiga escogida... ¡y amiga para siempre!

   *Segundo*, tienes amigos en tus padres. (¿Ya te estás retorciendo? ¿Te estás preguntando: «¡No lo dices en serio!»? Pues bien, ¡sí que lo digo en serio!). ¡Y es cierto! No hay nada malo, y puede que todo bueno, con tener a tu papá y a tu mamá como tus mejores amigos. No es algo infantil ni tonto porque ellos son el regalo de Dios para ti. Y, créeme, nadie te ama más ni se preocupa por ti de forma más sincera y genuina que tu mamá o tu papá.

   Y *tercero*, tienes amigos en tus hermanos y hermanas. (Y ahora estás diciendo: «¡Debes estar bromeando! ¡No será el gracioso de mi hermano!». No, te lo digo de nuevo en serio!). Lo mismo es cierto para la familia. Puedo decirte por experiencia propia que tus amistades a lo largo de la vida vendrán y se irán. Quizá estén en contacto, hablen por teléfono y se escriban correos electrónicos. Con todo, tus amistades casi siempre pasarán (hasta quizá se muden en realidad a otra ciudad). Irán a diferentes universidades, se casarán, se irán con sus esposos, empezarán a formar su familia, y... bueno, ya te imaginas. Sin embargo, tu familia siempre estará ahí, sobre todo si construyes y mantienes una relación con ellos. Mientras escribo esto, mi padre y los padres de mi esposo ya han muerto, y mi madre, que sufre la enfermedad de Alzheimer, lleva sin reconocerme siete años. ¿Y sabes qué? Le damos gracias a Dios cada día porque aún nos quedan nuestros hermanos y hermanas, y nos deleitamos en el ancla de estas relaciones familiares duraderas.

Por lo tanto, querida hermana, haz tu parte. Claro que querrás pasar tiempo con Jesús (¡después de todo, hemos aprendido que eso es lo que hace una mujer conforme al corazón de Dios!). Y también debes pasar tiempo con tus padres y hermanos. Hazte su amiga. Apóyalos. Ámalos. Estarás construyendo una relación de amistad que durará toda una vida.

3. *Sé amigable*: Espero que hayas captado el mensaje de la Biblia (y de mí) sobre lo importante que es protegerte y ser sabia a la hora de elegir tus amigas: las amigas *adecuadas*. Y espero que también hayas entendido que debes ser amigable con todos, que debes ser una persona amistosa. Como cristiana, ¡tienes mucho que dar! Y como ya aprendimos, todos necesitan una sonrisa, un «hola» caluroso y una palabra amable, en especial una palabra sobre Jesús. Tú y yo queremos ser como Jesús, que era amigo de los pecadores (Lucas 7:34) y que «anduvo haciendo el bien» (Hechos 10:38). Así que quiero terminar este capítulo

con estos «Diez Mandamientos de la Amistad»[18]. Llévalos contigo a lo largo de tu vida.

- Habla con la gente: no hay nada tan bonito como un saludo cariñoso.
- Sonríele a la gente: ¡se necesitan setenta y dos músculos para fruncir el ceño y solo catorce para sonreír!
- Llama a la gente por su nombre: la música más melodiosa para el oído de cualquiera es el sonido de su propio nombre.
- Sé amigable y ayudadora: si te gusta tener amigas, sé amiga.
- Sé cordial: habla y actúa como si todo lo que hicieras fuera un verdadero placer.
- Interésate de verdad por la gente: te pueden llegar a caer bien todas las personas si lo intentas.
- Sé generosa en elogios: y cauta para criticar.
- Sé considerada con los sentimientos de los demás: te lo apreciarán.
- Considera las opiniones de los demás.
- Ponte en alerta para dar servicio: ¡lo que más vale en la vida es lo que hacemos por los demás!

## Respuesta del corazón

¡No cabe duda que las amigas y las amistades son una parte importante de tu vida! Las amistades son parte del plan de Dios y un aspecto principal del crecimiento, el ánimo, la emoción, el aprendizaje y el amor mutuo, sin mencionar el dar testimonio y la evangelización. Es evidente que las amistades bíblicas nos bendicen y nos edifican.

Para dejar esta discusión sobre las pautas de Dios para encontrar amigas, quiero brindarte un poco de sabiduría de la vida: Parece que hay tres clases de personas en la vida:

> los que te desaniman,
> los que te arrastran consigo, y
> los que te animan.

Basándome en estos tres tipos de personas, creo firmemente que tus mejores amigas deberían ser cristianas. Tus mejores amigas deberían ser creyentes que te acompañen y te animen a parecerte más a Cristo, como David y Jonatán hicieron entre sí. Tus mejores amigas deberían ser compañeras del alma, como lo eran David y Jonatán. Tus mejores amigas deberían ser cristianas fuertes y centradas que te ayuden a tener los mejores pensamientos, a hacer las obras más nobles y a ser tu mejor tú.

Por lo tanto, mientras te embarcas en la empresa de encontrar una amiga y hacer amigas, ponte las normas lo más alta posible, como hemos estado viendo en la Biblia. Lo primero de todo, pon las normas altas para ti misma. No te vendas con facilidad. *Sé* de la clase de personas que acompaña y anima a otras a perseguir las cosas de Dios.

Aun así, no apuestes por nada que no sea las normas más altas de Dios para ti misma en la categoría de «la mejor amiga». Las personas con las que pases tu precioso tiempo y tu vida deben amar al Señor, primero y por encima de todo, en *sus* corazones. Y deben ayudarte a amar al Señor aun más de lo que le amas. *Estas* deben tener una ardiente pasión por servir a Jesucristo, y deben encender la llama de *tu* pasión por servirle.

*¡Recuerda: cuando eliges a tus amigas, estás eligiendo tu futuro! Así que elige a tus amigas con cuidado. ¡Te convertirás en lo que son ellas!*

## Cosas que podemos hacer hoy para desarrollar un corazón que escoge con sabiduría

♡ Vuelve a revisar los versículos que aparecen en la sección titulada «De la Palabra de Dios para tu corazón». Resume la enseñanza de cada versículo en una o dos palabras. Después haz una lista en tu cuaderno personal de estas pautas con relación a la clase de amiga que quieres ser... y tener. Mírala a menudo, ¡todos los días!

♡ Haz una lista de tus «amigas» actuales. Pon estos nombres junto a tu lista de las pautas de Dios para las amistades. ¿Pertenecen todas a tu lista de «las mejores amigas»? Sí o no, ¿por qué?

♡ Haz una lista más con las personas que sabes que te acompañan y animan en tu relación con el Señor. ¿Cómo puedes pasar más tiempo con ellas? (¡Es posible que solo sean amigas en potencia!).

## ¿Te gustaría saber más? Echa un vistazo

✓ Lee Proverbios 1:10-19, las instrucciones de Dios escritas con el propósito de «infundir [...] conocimiento y discreción en los jóvenes» (Proverbios 1:4). ¿Cuál es aquí la escena y qué dice el escritor a sus jóvenes en los versículos 10 y 15? ¿Qué quieres recordar de esta sabia enseñanza?

✓ Te encantará leer sobre la amistad más famosa de la Biblia, la hermosa relación que existió entre David y Jonatán, el hijo del rey Saúl, que se encuentra en 1 Samuel 18:1-4; 19:1-6; y 20:1-42. Tardarás un poco en leerla, ¡pero en verdad vale la pena! Recuerda que, a medida que lees la historia de su amistad, el rey Saúl estaba intentando matar a David. Consideraremos esta amistad de nuevo en nuestro siguiente capítulo, pero por ahora, ¿cómo se desarrolló la amistad y sobre qué estaba basada? ¿Qué lecciones sobre la amistad extraes de David y Jonatán?

# 11

# Un corazón que es leal

*En todo tiempo ama el amigo [...]*
*Hay amigos más fieles que un hermano.*
PROVERBIOS 17:17; 18:24

Es un gozo tremendo ser madre de dos hijas. He aprendido mucho de mis hijas a medida que hemos ido pasando juntas por los altibajos de la vida. Y puedo decir que *sé*, de mis años de adolescente y de presenciar, observar, preocuparme y andar con mis hijas durante sus años adolescentes, que el asunto de las amistades es algo vital... ¡y volátil! Es vital porque todas las personas quieren tener amigos. ¡Y es volátil porque las amistades pueden desaparecer cuando menos te lo esperes!

Esto es lo que experimentó una de mis hijas... ¡por las malas! Cuando nuestra familia regresó del campo misionero, ella comenzaba la escuela secundaria. Y, como habíamos estado fuera, no tenía amigas. Así que, como familia comenzamos a orar por una amiga para ella. Pues bien, muy pronto todos nos gozamos al ver que por fin comenzó a entablar amistad con otra muchacha. Desde fuera, parecía que no faltaba ningún ingrediente para obtener una relación de «mejores amigas» (como aprendimos en el último capítulo).

De modo que un día después de la escuela, mi hija entró corriendo por la puerta de casa con una cadena que le había dado su nueva amiga. Estoy segura que has visto una: es de las que tienen un dije en forma de medio corazón. Vienen dos cadenas y un corazón partido en dos mitades, y cada amiga se pone una. Es una cadena de la amistad. No hay que decirlo, ¡mi hija estaba muy contenta! ¡Tenía una amiga! Y su amiga fue la que compró las dos cadenas y le dio una a mi hija para que lo llevara, indicando su amistad. Parecía que era la respuesta a nuestras oraciones.

Sin embargo... ¿te imaginas el final de la historia? No pasó mucho tiempo hasta que entre ellas surgieran las primeras tensiones, se alzaron la voz, subieron las emociones y comenzaron las peleas. Y, claro, llegó el día en que estas dos «amigas inseparables», estos dos «corazones hermanos», se tiraron las cadenas la una a la otra y esa amistad se hizo añicos. ¡Era el fin!... y nosotros comenzamos a orar de nuevo.

### *Ser amiga*

¿Has tenido alguna experiencia como la de mi hija? Entonces sabrás que no es fácil encontrar una amiga. Nadie ha dicho que fuera fácil, y nadie se atrevería a decir tampoco que ser amiga es fácil. Ser amiga, una amiga como se describe en los versículos del comienzo de este capítulo, que ama en todo tiempo y que está más unida que una hermana, ¡es un reto bastante grande! Con todo, ser una amiga así es una tarea importante que Dios nos da a ti y a mí como mujeres conforme a su corazón.

## ✎ *De la Palabra de Dios para tu corazón...*

Como siempre, Dios nos da las pautas para la vida, y esto incluye las de ser una amiga leal. Conforme leas estos sabios dichos de la Biblia, formula en tu mente y en tu corazón qué clase de amiga tienes que ser. Observa también las cosas que una amiga hace y las que no hace.

*El que perdona la ofensa cultiva el amor; el que insiste en la ofensa divide a los amigos* (Proverbios 17:9).

*En todo tiempo ama el amigo; para ayudar en la adversidad nació el hermano* (Proverbios 17:17).

*Hay amigos que llevan a la ruina, y hay amigos más fieles que un hermano* (Proverbios 18:24).

*No abandones a tu amigo* (Proverbios 27:10).

## *Sí, ¿pero cómo?*

Todo el mundo ha tenido experiencias con amistades que duraron poco tiempo, surgieron de forma rápida... y acabaron del mismo modo. Entonces, ¿cómo desarrollamos amistades duraderas? Es obvio que tenemos que *encontrar* las buenas amistades con las que empezar (de esto se trataba nuestro último capítulo), pero también tenemos que saber *ser* buenas amigas.

1. *Sé fiel*: La cualidad más atractiva y duradera entre dos amigas es la fidelidad. A todas nos ha herido una «amiga»

traidora. Como aprendimos sobre David y Jonatán, los verdaderos amigos son fieles por igual el uno al otro. Su amistad no era de un solo lado, ni desequilibrada. Jonatán se enfrentó a su padre, el rey Saúl, en defensa de su amigo David. Y David cumplió la promesa que le hizo a Jonatán de cuidar de los miembros de su familia en el futuro. ¿Cuán fiel eres con tus amigas? ¿Eres una amiga más fiel que una hermana (Proverbios 18:24)?

2. *Sé comprensiva*: ¡Y no lleves la cuenta! El amor fiel, según 1 Corintios 13:5, «no guarda rencor». Esto quiere decir que las verdaderas amigas no se enojan cuando se les olvida un cumpleaños, cuando no devuelven una llamada, cuando pasa el tiempo y no ha habido comunicación, cuando no se sientan juntas en la iglesia, ni cuando una amiga pasa tiempo con otra persona. Las verdaderas amigas, en cambio, entienden y apoyan los compromisos y las responsabilidades de la otra. Comprenden que la familia es lo primero, que el trabajo del hogar es importante, que todos estamos muy ocupados. Así que ora por tus amigas, sé comprensiva y ofrécete a ayudar cuando tus amigas se enfrenten a algún tipo de presión.

3. *Sé respetuosa y sensible*: Por ejemplo, cuando llames a una amiga, pregúntale antes de hablar: «¿Es un buen momento ahora o prefieres que te llame después?». También llama y pregunta antes de hacerle una visita. Nunca lo olvides... tus amigas tienen responsabilidades familiares y relaciones que tienen que atender, quehaceres domésticos, deberes, práctica de piano, etc. Averigua cuándo es el mejor momento para reunirse.

4. *Sé sincera y atenta*: Una de las mayores bendiciones de una amistad sólida es la sinceridad. La Biblia lo dice así: «Más confiable es el amigo que hiere» y «la dulzura de la amistad

fortalece el ánimo» (Proverbios 27:6, 9). Muchas personas a lo largo de tu vida te criticarán, pero muy pocas serán sinceras en su preocupación por ti y en hablarte de frente. Este es uno de los papeles de una verdadera amistad. Tú y una verdadera amiga deberían comprometerse a acompañarse la una a la otra y a animarse a conseguir los objetivos de Dios para sus vidas como jóvenes. Y no lo olvides, cuando tu amiga asuma este papel de ayudarte a crecer en una esfera en la que necesites ayuda, ¡escúchala! No seas orgullosa y no te ofendas. Dale gracias a tu amiga por preocuparse de sacar a la luz un asunto difícil (¡te aseguro que no es fácil!), después ponlo delante de Dios en oración. Examina tu corazón para ver si es cierto lo que te dijo tu amiga.

5. *Sé cuidadosa con el sexo opuesto*: Dedicaremos más tiempo a este asunto más adelante, pero por ahora volvamos a los principios que aprendimos de la Biblia en el capítulo anterior. Sé amigable con todos, pero ten cautela y tómate un *b-u-e-n* tiempo para hacerte amiga de un muchacho. Las tres cosas que en realidad tienes que cuidar en tu conducta y forma de hablar son: ser *demasiado* amigable, ser *demasiado* halagadora y pasar *demasiado* tiempo hablando. Como he dicho, ¡luego hablaremos más!

6. *Testifica en tus encuentros*: Esas conocidas que hay en tu vida que no son cristianas deberían oírte hablar de Jesús, de Dios, de la Biblia, de tu iglesia y de tu grupo de estudio bíblico. ¿Qué ocurre cuando otros te oyen hablar sobre estas cosas (las cuales, por supuesto, son las más importantes de tu vida, ¿verdad?)? Es posible que las personas que te oigan hablar de estas cosas se desconcierten por lo que digas y no quieran tener nada que ver contigo. O quizá... ¡solo quizá!... desearían saber más de tu Salvador, les gustaría ir contigo a la iglesia o hacer un estudio bíblico contigo. Verás, *tú* tienes palabras de vida: el evangelio de Jesucristo. Y *tú* tienes la Palabra de Dios para darles a todos:

«las Sagradas Escrituras, que pueden [darles] la sabiduría necesaria para la salvación mediante la fe en Cristo Jesús» (2 Timoteo 3:15). ¡Y Dios ha puesto a estas personas en *tu* vida! Por lo tanto, sé valiente por Jesús. Y aquí tienes otro gran beneficio: cuando hablas de tu fe con un muchacho, le dirás de frente todo lo que eres. Los muchachos que hay en tu vida tienen que saber enseguida que no te interesan si no son cristianos activos y apasionados.

7. *Sé una constante animadora*: Volvamos un minuto a la amistad entre David y Jonatán. Su amistad, como aprendimos, estaba basada en su amor por Dios y por las cosas del Señor. Así que, ¿cómo se animaban entre sí? La Biblia dice que cuando fue evidente que David estaba amenazado de muerte, «Jonatán hijo de Saúl fue a ver a David [...] y lo animó a seguir confiando en Dios» (1 Samuel 23:16). La mejor forma de animar a tus amigas es en el Señor, con versículos bíblicos y orando juntas. Y, cuando digas un cumplido, sé específica en tu elogio. No digas: «Oye, eso ha estado muy bien», sino di algo como: «Aprecio mucho la manera en que...». Tómate unos segundos extra para ser específica. Por ejemplo: «He estado observando cómo ministrabas a esa señora mayor, y me has enseñado una gran lección por la manera en que tú...». Aprende a elogiar la conducta y el carácter. Se requiere decisión y algo de esfuerzo, pero recuerda: tu meta es acompañar y animar a tu amiga en su relación con Dios. Y para Dios, ¡la conducta y el carácter piadoso cuentan mucho!

8. *Da prioridades en tus amistades*: El día solo tiene veinticuatro horas, así que es importante que decidas con quién vas a pasar la mayor parte de tu tiempo. ¡Y no olvides tu familia! Ellos son las relaciones prioritarias que Dios te ha dado. Entonces, después de tu familia, ¿con quién empleas tu tiempo y cuánto? ¿Es con las personas que te animan y

acompañan en tu crecimiento espiritual y tu andar con Dios? ¿Es con las que te ayudan a vivir con excelencia en el plan que Dios ha trazado para tu vida? ¿Quien te ayuda a que pongas tu corazón y tu mente en las cosas de arriba, no en las cosas terrenales (Colosenses 3:1-2)? ¿O pasas la mayoría de tu tiempo con no creyentes o con cristianos que viven al límite o al borde del precipicio?

No me malentiendas. Vuelve a leer el número 6 de las páginas 135-136. No hay nada malo con pasar algún tiempo con estas conocidas. Aun así, asegúrate de que no consuman la mayor parte de tu tiempo, ese que podrías emplear en estudiar la Palabra, en ir a un estudio bíblico, en recibir discipulado y participando en algún ministerio de la iglesia. Y asegúrate de estar alcanzando y ministrando a esa gente maravillosa. Lo mejor que puedes hacer por tus amigas es saber (¡y eso implica escuchar!) los detalles de su vida, decirles que te preocupan y que estás orando por ellas, y pedirles continuamente que te acompañen a la iglesia o a tu estudio bíblico. Mejor aun, ¡pídeles que se reúnan *contigo* para tener un estudio bíblico! (Una advertencia: *no* deberías hacer un estudio bíblico a solas con un chico). ¡Deja esto para tu papá, un hermano mayor o tu pastor de jóvenes! Como dije, ¡hablaremos más de esto después! Así que, por ahora, confía en mí... ¡no lo hagas!

9. *Cultiva tus amistades*: Nunca nos despertamos por la mañana y, de forma fría y calculadora, decidimos: «Creo que hoy voy a descuidar a mis amigas». No, el descuido es algo más sutil. ¡Nos despertamos por la mañana y ni siquiera *pensamos* en nuestras amigas! Por lo tanto, nuestras amistades deben cultivarse y desarrollarse. Tú y yo tenemos que tomar decisiones voluntarias sobre mantener y desarrollar nuestras amistades, tanto con la familia como con las amigas. Y esto lleva tiempo, cuidado y amor... y quizá

incluso un poco de dinero al comprar una tarjeta de felicitación o un pequeño regalo para una amiga. El apóstol Pablo les dijo a sus amigos en Filipos: «Los llevo en el corazón» (Filipenses 1:7). ¿Llevas a tus amigas en el corazón?

10. *Ora por tus amigas*: Querida amiga, no tenemos un regalo mayor, ni más fino (¡ni más costoso!) que darles a nuestra familia y a nuestras amigas como orar por ellos: de forma fiel, frecuente y ferviente. Todas las personas tienen luchas y se enfrentan a pruebas y crisis. Y podemos estar seguras que hay asuntos en la vida de nuestras amigas que nunca nos lo dirán. Nunca sabremos todas las luchas que se habrán batallado en la vida de otra persona. Así que debemos orar.

    ¿Y por qué oramos? Ora por el crecimiento espiritual de tus amigas, por sus tareas escolares, por sus responsabilidades y relaciones en casa con los miembros de su familia y para que participen en la iglesia. Ora también para que más personas se acerquen a ellas y las animen. Me gusta de forma especial cuando alguien me dice con exactitud por lo que está orando por mí. Por lo tanto, sé específica en tus oraciones por ellas. Y diles versículos bíblicos específicos que pienses que las animarán. Nunca se sabe si el versículo que le digas sería «la palabra perfecta que sostiene al cansado» y la fortalecería a fin de ayudarla a superar un día difícil (Isaías 50:4). Nunca se sabe si *tú* podrías ser la verdadera amiga cuyas oraciones fieles, frecuentes y fervientes ayuden a otra persona a sobresalir en grandeza... ¡o a superar una vida difícil! Así pues, querida amiga, ¡*ora* por tus amigas!

## Respuesta del corazón

¿Está conmovido tu corazón? ¡El mío sí! Y, como dije antes, Dios nos diseñó para tener amigas y para ser amigas. Tú y yo, como mujeres, somos seres sociales. Anhelamos amar y ser amadas. De esa manera nos hizo Dios. Por eso quiero animarte (¡otra vez!) a que, en todas tus relaciones, ¡seas la mejor amiga que nadie haya tenido jamás!

Sin embargo, también quiero alertarte de que las amistades, las verdaderas, vienen con una etiqueta de precio. Y esa etiqueta incluye el *tiempo*. Hace falta tiempo para encontrar una amiga. Hace falta tiempo para ser una amiga. Y hace falta tiempo para orar por tus amigas.

Por lo tanto, mi preciosa amiga, escoge con sabiduría. *Sé* la mejor amiga posible con todas... pero *escoge* con sabiduría a las que serán tus mejores amigas. ¿Y cómo reconocerás a estas amigas?

Una amiga
te fortalecerá con sus oraciones,
te bendecirá con su amor, y
te animará con su corazón[19].

¿Eres tú esta clase de amiga con las demás, una amiga fiel?

## Cosas que podemos hacer hoy para desarrollar un corazón que es fiel

♡ Después de revisar las diez pautas para amistades fieles, ¿encontraste alguna esfera en la que seas especialmente fuerte como amiga? ¿Cuál es?

♡ Después de revisar las diez pautas para amistades fieles, ¿encontraste alguna esfera (¡o dos!) en la que necesites mejorar en el departamento de la amistad? ¿Cuál es, y qué piensas hacer al respecto?

♡ ¿Qué harás para ser una mejor animadora con cada una de tus amigas mañana? ¿Y esta semana?

## ¿Te gustaría saber más? Echa un vistazo

✓ Lee 1 Corintios 13:4-8. Enumera los rasgos de una amistad fiel que aparecen en estos versículos. Cuando piensas en el nivel de amor por tus amigas, ¿cómo te valorarías y por qué? Avanza un poco más y escribe lo que tienes pensado hacer para conseguir una mejor nota. (¡Y no olvides pedirle a Dios que te ayude!).

✓ ¿Qué nos enseñan estos escenarios sobre las amistades? Lee el Salmo 41:9; Salmo 55:12-14; Mateo 26:50; Hechos 15:36-41. Mientras lees, observa qué personas participan y algunos detalles mencionados. ¿Qué conclusiones sacas sobre las amigas y las amistades?

✓ Pablo tenía pasión por la oración y por orar por sus amigos. Lee el contenido de estas oraciones: Filipenses 1:9-11; Colosenses 1:9-12; Efesios 3:14-19. ¿Necesitas fortalecer tus oraciones por tus amigas? (¿O quizá necesitas reforzar tu vida de oración o tu tiempo de oración?). ¿Qué cambios y mejoras harás para convertirte en una mejor amiga, una mujer conforme al corazón de Dios que ora por sus amigas?

# 12

# Un corazón que crece

*Jesús siguió creciendo en sabiduría y estatura, y cada vez más gozaba del favor de Dios y de toda la gente.*
LUCAS 2:52

Es posible que te sea difícil creerlo, pero yo tenía la costumbre de sentarme en el mismo lugar en el que estás ahora tú: durante horas al final de la clase de mi escuela y en mi cuarto en casa por la noche para hacer las tareas. Es más, puedo decir que tal vez dediqué *más* horas a la escuela y a las tareas en casa que tú. ¿Por qué? Porque mis padres eran maestros, ¡lo cual significa que todos los días de mi vida asistí a la escuela donde enseñaba mi mamá o a la escuela donde enseñaba mi papá! Llegaba temprano a la escuela (y me sentaba en las aulas vacías a estudiar), y me quedaba hasta tarde (sentada en las clases vacías haciendo tareas). *Después* llegaba a casa... ¡y me ponía a hacer más tareas!

Sí, mis padres definitivamente ponían un gran énfasis en la educación. Tanto era así, que trabajaban mucho y duro, incluso enseñando en clases nocturnas y de verano, a fin de poner a sus cuatro hijos en la universidad. ¡Por eso estoy muy agradecida!

Con todo, tengo que admitir que me preguntaba casi todos los días durante el instituto e incluso en la universidad: *¡¿Por qué?!* ¿Por qué era tan importante este asunto de la escuela y la educación? Entendía el porqué era importante para mis tres hermanos, ¿pero para mí? Es decir, ¿no se supone que yo debería crecer, conocer al hombre de mi vida, casarme y formar una familia?

### *¿Por qué crecer? ¿Por qué aprender? ¿Por qué ir a la escuela?*

Lo que acabo de expresar arriba es lo que rondaba por mi mente durante mis más de dieciséis años de escolarización, hasta que me gradué de la universidad de Oklahoma. Y sí, conocí a un gran hombre (Jim), me casé y tengo una familia. Y, créeme, ¡fue *entonces* cuando en verdad se abrieron mis ojos para ver el valor de mi educación! (Y, por favor, comprende que cuando digo *educación* no me refiero de manera estricta a la universidad. No, estoy hablando de *toda* la escolarización, del tipo de educación que tú estás recibiendo ahora mismo al ir a tu escuela, ya sea en un campus o en el hogar, y cuando haces con fidelidad tus tareas).

Pues bien, mi querida amiga, hoy solo puedo decirte que desearía que mis padres estuvieran todavía aquí para oírme decirles una vez más: «¡Gracias por mi educación!». No sé las veces que durante las décadas pasadas les he dicho esas mismas palabras.

Digo esto porque después de tantos años, después de ser esposa y ama de casa durante treinta y ocho años y después de criar a dos hijas, sé que las cosas que aprendí en la escuela y las habilidades, hábitos y cualidades de carácter que obtuve por el trabajo y la pesada rutina de la escuela, me equiparon para mis papeles como esposa, madre y ama de casa. Fui capaz de aprender a cumplir estos papeles asignados por Dios porque ya sabía, por el tiempo pasado como estudiante, cómo aprender, crecer, leer, organizarme, programar, estudiar y llevar a cabo proyectos. Aprendí a adquirir conocimiento. Y aprendí a completar y terminar las tareas y los deberes.

Por lo tanto, con el paso de los años y a través de las etapas de mi vida, he sido capaz de abordar y solventar mis problemas cotidianos y de aprender nuevas habilidades. El conocimiento práctico, logrado a través de los años de ir a la escuela, también me capacitó para ministrar, ya sea aceptando el reto de enseñanza en una clase de pequeños en la Escuela Dominical o haciendo investigaciones y crear un programa de estudio bíblico para un gran grupo de mujeres, así como para impartir ese estudio. Y estoy aprendiendo todavía cosas nuevas, ahora que Dios me ha dado un ministerio fresco y diferente (¡y desafiante!) de escribir libros para mujeres cristianas.

En verdad me encanta y disfruto de todo lo que hago y de lo que he hecho. Por ejemplo, me encanta ser ama de casa. Ser ama de casa es un arte, y como tal tengo el privilegio de expresar y desarrollar todos mis talentos en mi pequeño lugar llamado casa. Tengo que edificar... embellecer... organizar... crear... decorar... expresarme. Tengo que leer, estudiar y crecer, y saber de nutrición, economía, horticultura, diseño y vestuario. Y me encanta ser madre. Me encantó enseñar y preparar a mis hijas y darles a sus preciosas vidas una orientación hacia Dios. Y ahora me encanta trasmitir la verdad de Jesús a otra generación: a mis nietos.

No obstante, mi querida joven conforme al corazón de Dios, aquí viene el punto al que trato de llegar: para hacer todo esto, o hacer lo que sea que Dios esté pidiendo de ti (y de mí), significa que tienes que ser una mujer que crece sin cesar. Tienes que ser una mujer dedicada, organizada y con propósito.

## ✎ *De la Palabra de Dios para tu corazón...*

La Biblia está llena de ejemplos de siervos de Dios que tuvieron que aprender antes de dirigir. Moisés, Daniel, Jesús, Pablo... todos pasaron años de aprendizaje y estudios. Incluso las mujeres de la iglesia primitiva recibían enseñanza de las que eran mayores que ellas (Tito 2:3-5). Al leer estos versículos, ¿qué viene a tu mente con relación a la importancia de toda tu educación, aprendizaje y deberes cotidianos?

> *Escuche esto el sabio, y aumente su saber; reciba dirección el entendido* (Proverbios 1:5).

*Porque el SEÑOR da la sabiduría; conocimiento y ciencia brotan de sus labios* (Proverbios 2:6).

*Jesús siguió creciendo en sabiduría y estatura, y cada vez más gozaba del favor de Dios y de toda la gente* (Lucas 2:52).

*Hagan lo que hagan, trabajen de buena gana, como para el Señor y no como para nadie en este mundo* (Colosenses 3:23).

*Más bien, crezcan en la gracia y en el conocimiento de nuestro Señor y Salvador Jesucristo* (2 Pedro 3:18).

## *Sí, ¿pero cómo?*

¿Lo vas entendiendo? ¿Vas entendiendo el plan de Dios para que aprendas y crezcas? ¿Captas la visión del porqué, a medida que te preparas para toda una vida de servicio a Dios y a los demás, tu trabajo escolar es una parte importante de tu vida?

Esta es mi oración para ti. Y aquí tienes algunas cosas que puedes hacer para que te motives aun más para desarrollar un corazón que crezca.

1. *Acepta*: Tienes que aceptar que Dios te llama a seguir el curso normal de los hechos en tu vida. Y el curso normal incluye tu educación escolar. En la economía de Dios, todo «debe hacerse de una manera apropiada y con orden» (1 Corintios 14:40). No puedes saltarte las partes de tu vida que no te agradan o que no son divertidas. Solo piensa en Jesús. Ya vimos en nuestro libro que Jesús, Dios hecho carne, vivió en un hogar y estuvo sujeto a la autoridad de sus padres. Aun así, también «siguió creciendo en sabiduría y estatura, y cada vez más gozaba del favor de Dios y de toda la gente» (Lucas 2:52). Nada, ni ninguna etapa normal, faltaron en la vida de Jesús.

   Al igual que Dios el Padre tenía un plan para la vida de Jesús, Él también tiene un plan para tu vida. El plan del Padre incluye el proceso normal del desarrollo mental al ir a la escuela y madurar a través del conocimiento y la experiencia obtenida en el proceso. Tú obtienes el tesoro de la educación cuando aceptas que tu etapa escolar es la voluntad de Dios para tu vida.

2. *Adopta*: También tienes que adoptar el plan de Dios para el crecimiento académico. Sí, tienes que prepararte en lo espiritual para el futuro, pero también te tienes que preparar en la parte académica para tu futuro.

   He aquí cómo es esto: tienes toda tu vida delante de ti. Todavía no sabes lo que Dios tiene planeado para ti, pero debes prepararte para una vida de servicio a Él y a los demás. No sabes si te vas a preparar para servir a Dios trabajando en casa como esposa, madre y ama de casa, trabajando en el campo misionero o trabajando en cualquier otro empleo. Cualquiera de estas «profesiones» demandará y requerirá años de preparación. Así que te insto a que recibas este aspecto de tu vida: el de prepararte en la escuela. ¡Acéptalo con emoción, expectativa y oración!

3. *Sobresale*: Dios quiere que te destaques en todo lo que hagas. En su Palabra, Él nos dice: «Hagan lo que hagan, trabajen de buena gana, como para el Señor y no como para nadie en este mundo» (Colosenses 3:23). Y este «trabajo» para ti, como joven que eres, incluye tu trabajo en la escuela. Por lo tanto, deberías trabajar «con todo tu empeño», ¡esforzándote mucho! ¿Por qué? Con el propósito de que desarrolles hábitos y habilidades de excelencia para conducir tu vida hoy y durante todo tu futuro. Las disciplinas adquiridas con excelencia te darán la mayor educación de todas: una vida de sabiduría. La sabiduría, no la excelencia académica, las buenas notas ni un montón de conocimiento sino la sabiduría, es tu meta como cristiana. Como escribió Salomón, la persona más sabia de los tiempos del Antiguo Testamento: «La sabiduría es lo primero; ¡adquiere sabiduría!» (Proverbios 4:7).

   Y aquí tenemos otro beneficio de hacer el trabajo de la mejor forma posible: te da credibilidad con tus colegas. Y no me refiero a ser popular. Ser una cristiana fuerte con convicciones morales es difícil en la universidad o en la escuela, y te hace parecer diferente al resto de los demás. No, la popularidad no debe ser tu objetivo. Aunque si eres «la mejor» en tu escuela, la gente se interesará en saber más de ti y de tu vida. Quizá sigan pensando que eres algo «rara», pero te respetarán tanto a ti como a tus valores y tus logros, lo cual puede abrirte la puerta a fin de hablarles de tu fe en Cristo.

4. *Examina*: Tienes que desarrollar discernimiento con el propósito de examinar lo que te enseñan en clase. Y tu capacidad para discernir la verdad de las enseñanzas que recibas será directamente proporcional a la sabiduría que hayas obtenido en tu estudio de la Biblia, a través de la oración y por medio del consejo sabio (Proverbios 1:5).

Así que si vas a una escuela pública, habrá momentos en los que un profesor te enseñará algo que, como cristiana, no aceptarás ni creerás (¡estoy segura de que ya te ha pasado!). Incluso, si vas a una escuela cristiana, habrá momentos en que el maestro te enseñará algo diferente a cómo lo habías aprendido en tu iglesia, o de tus padres, o de tus maestros de la Escuela Dominical. ¿Qué haces en momentos así? Aquí tienes una lista preliminar de lo que debes y no debes hacer:

- Pide aclaración.
- Pide consejo a tus padres.
- Sigue el consejo de tus padres.
- Si tus padres no pueden ayudarte, pregúntale a tu pastor.
- Ora por la situación y por sabiduría.
- No exageres, ni montes una escena.
- No te enfrentes al maestro en la clase.
- No dejes de mostrar respeto por la posición de autoridad del maestro.

Combinando todos los *debes* y los *no debes*, asegúrate de responder con amor cristiano y con respeto a tu maestro.

5. *Sé ejemplo*: También tienes que ser ejemplo de Cristo y mantener los patrones que Él estableció en la Biblia para tu conducta en la escuela. Por ejemplo, ¿te vistes como las demás chicas de la escuela? Si alguien mirara desde arriba a la multitud de jóvenes en los pasillos de tu escuela, ¿pasarías inadvertida entre la multitud? Si alguna muchacha nueva llegara a tu escuela y se juntara contigo durante unos cuantos días, ¿podría decir que tienes diferentes creencias y valores que el resto de las demás personas de tu

escuela? Si sigues el modelo de Jesús en tu escuela, habrá una notable diferencia entre tú y los demás estudiantes. Tus días y años de escuela son el campo de entrenamiento para vivir la vida cristiana. Tienes que decidir a quién quieres agradar con tu manera de vivir, ¿a los estudiantes?... ¿o a tu amigo Jesús?

Y un pensamiento más antes de concluir este capítulo tan importante: si te está resultando difícil vivir para Cristo en la escuela, te costará mucho vivir para Cristo en el mundo. De la manera en que reflejes a Cristo en la escuela hoy, será como reflejarás a Cristo en el futuro cuando seas adulta. Ya he dicho esto antes, pero quiero volver a decirlo otra vez: lo que serás mañana es lo que estás siendo hoy. Así que vive para Cristo hoy y, amiga mía, vivirás para Cristo mañana.

## Respuesta del corazón

Espero que te haya gustado este capítulo tanto como a mí. Fue un privilegio y una delicia pasar un tiempo de charla íntima y sincera contigo. Como ya dije antes, me encanta ser una mujer conforme al corazón de Dios, ¡en cada aspecto de ello! ¡Y por eso deseo que a ti también te guste!

Para mí, ser mujer es como ser una flor. A medida que cambian las etapas de la vida, Dios nos presenta nuevos papeles que desempeñar, nuevas cosas que aprender y nuevos retos que conquistar. Al llegar esos retos, recurrimos a la inmensa gracia de Dios y nos dedicamos de lleno a ellos. Ponemos en práctica la sabiduría de Dios y nuestra educación. Echamos mano a todos los aspectos fuertes de carácter y las sólidas habilidades adquiridas a través de nuestras horas, días y años de escuela. Y nos acercamos a Dios y a su Espíritu Santo para que nos fortalezcan y ayuden a caminar por el sendero de la vida. Y entonces, a través de este proceso de crecimiento, la flor de nuestra vida se desarrolla, prospera, surge y florece a medida que servimos a Dios en cada lugar en el que Él nos plante. Los días pasan. Las décadas pasan. La flor crece. Y luego un día nos encontramos con Dios cara a cara. Y es entonces, querida amiga, cuando nos presentamos ante Él con total esplendor.

¡Ser una mujer cristiana es una vida maravillosa! ¡Así que asegúrate de que tu corazón está creciendo a fin de que seas capas de disfrutar tu viaje!

## Cosas que podemos hacer hoy para desarrollar un corazón que crezca

♡ Mira tu agenda de la semana pasada y calcula las horas que empleaste en cada una de estas tres categorías: tiempo de diversión, tiempo con las amigas y tiempo de deberes. ¿Qué revela tu agenda? ¿Necesitas hacer algún cambio?

♡ ¿Cómo evaluarías tu presencia cristiana en tu escuela? ¿Eres una «agente secreta» de Cristo? ¿O eres una «agente especial» de Cristo? Por favor, explica tu respuesta. Luego pídele a una amiga cristiana de tu escuela que ore para que tu testimonio sea alto y fuerte, y para que le rindas cuentas. (PD: ¡es posible que tú también quieras hacer lo mismo con ella!).

♡ ¿Qué temperatura marca el termómetro del compromiso de tu corazón en la escala de la «actitud» con relación a tu escuela y tu trabajo en ella? ¿Cómo vas a hacer subir la temperatura de tu corazón en esta esfera tan importante de tu vida?

## ¿Te gustaría saber más? Echa un vistazo

✓ Lee Daniel 1:1-7 y 17-20. Describe el proceso de aprendizaje del joven Daniel y sus tres amigos. ¿Cómo te motivan sus experiencias en tu propia escuela?

✓ Lee Lucas 2:41-49. ¿Qué te enseñan los años jóvenes de Jesús sobre tu propio proceso de desarrollo?

✓ Gamaliel era uno de los maestros más prominentes de su tiempo. Lee Hechos 5:34. ¿Quién era el estudiante más famoso de Gamaliel, según Hechos 22:3? Repito, ¿qué ejemplo ves aquí?

✓ Lee Tito 2:3-5. Además de la enseñanza que recibes en tu clase en la escuela, ¿qué otro tipo de preparación deberías obtener para el futuro, según los versículos 4 y 5? ¿Quién te ayuda a crecer en algunas de estas esferas? ¿O quién te ayudaría si se lo pidieras?

# 13

# Un corazón que sirve

*Progresando siempre en la obra del Señor,*
*conscientes de que su trabajo en el Señor no es en vano.*
1 CORINTIOS 15:58

Todo el mundo tiene un héroe o dos. Y algo sorprendente en los héroes es que la mayoría de ellos tienen corazones serviciales. Juana de Arco amaba a Dios, servía a Dios y luchó con valor mientras servía a otros. ¿Conoces su historia?

Juana de Arco era una campesina francesa que vivió en el siglo trece. Cuando Francia estaba ocupada por los ingleses, convenció al rey para que este la pusiera al frente de diez mil tropas. Ella condujo a las fuerzas francesas para liberar Francia y desde entonces la apodaron la «Doncella de Orleans», heroína de Francia. Juana de Arco no sabía leer ni escribir, pero se preocupaba muchísimo y oraba con pasión. Y esto es lo impactante: Juana de Arco murió a los diecinueve años de edad. ¡Era una jovencita! Hasta el día de hoy, a esta jovencita se le considera una heroína nacional en Francia. Mientras se preparaba para su muerte, Juana de Arco oró así: «Solo voy a vivir un año más; úsame como tú puedas». El suyo fue un corazón dedicado a servir a otros hasta el final.

Pues bien, mi joven amiga, Dios quiere que tú y yo también tengamos corazones que sirvan. Él nos ha dado todo lo que necesitamos para vivir de una manera piadosa (2 Pedro 1:3), nos ha bendecido con todas las bendiciones celestiales (Efesios 1:3) y nos ha dado dones espirituales para servir a otros en la iglesia (1 Corintios 12:7). Es algo así: Dios nos ha dado todo lo que vamos a necesitar en la vida, y Él espera que nosotras, a cambio, salgamos a darles a otros lo que tenemos para ayudar a mejorar las vidas de otras personas.

Ya hablamos sobre nuestros papeles con la familia, las amigas y los que no conocen a Jesús. Y ahora es el momento de hablar sobre nuestras responsabilidades respecto a otros cristianos. Por lo tanto, veamos cómo quiere Dios que nos sirvamos unos a otros en la iglesia.

### *Aprende a evangelizar a otros*

Una y otra vez, Jesús nos dice que demos... que demos a todo el mundo (Lucas 6:30), que demos sin esperar obtener nada a cambio (versículo 35), que aprendamos a dar de la forma generosa en que Dios, que es amable con el malagradecido y perverso, da (versículo 35), y que nos preocupemos de los demás al dar (versículo 38). ¿Cómo podemos tú y yo empezar a dar de esta manera? ¿Cómo aprendemos a dejar que nuestros corazones se desborden de preocupación por otros? ¿Cómo empezamos a evangelizar y a servir a otros? Aquí tenemos unas cuantas ideas:

- *Sé una participante*: Cuando se trata de evangelizar a otros en el ministerio, recuerda que lo primero que tienes que hacer es estar ahí. A fin de servir a otros en la iglesia, debes estar ahí. Así que haz de tu asistencia a la iglesia y a las actividades de jóvenes una de tus principales prioridades.

  Y he aquí otro beneficio de participar: tu sola presencia es una fuente de consuelo y ayuda para otros. Quizá no siempre sepas con exactitud qué hacer ni qué decir, pero es importante que estés allí. De ese modo, si alguien está sufriendo, al menos puedes acercarte a ella y hablarle, estar a su lado, conversar con ella y ponerle un brazo alrededor de sus hombros. ¡Pero primero tienes que estar allí!

- *Sé una dadora*: La Biblia dice: «No niegues un favor a quien te lo pida, si en tu mano está el otorgarlo» (Proverbios 3:27). Por lo tanto, abre tu corazón y da. Da una sonrisa, un saludo, una pregunta interesada, afecto, un abrazo. Todas estas son pequeñas cosas que significan mucho para otros.
- *Sé valiente*: con esto quiero decir que cuando Dios ponga a alguien que sufre o está herido en tu camino, no digas: «Tengo que ir y buscar a alguien que le ayude. Voy a buscar al pastor». No, sé valiente. Primero acércate a esa persona, descubre cuáles son sus necesidades y *después*, si hace falta, ve a buscar al pastor o a alguna otra persona que te ayude. Quizá todo lo que esa persona necesite sea un hombro en el que llorar o alguien con quien orar. ¡Y ese alguien puedes ser tú!
- *Sé generosa*: Y con esto no me refiero solo al dinero y las cosas materiales, sino a elogios, al ánimo, agradecimiento, a un saludo, a la amabilidad, las buenas obras y notas de gratitud. Tú y yo podemos *escoger* dar estas pequeñas bendiciones que nos cuestan tan poco y significan tanto para otros, o podemos optar por *no* darlas. Así que cuando alguien te comente algo difícil de su vida en tu grupo de estudio bíblico, dile que aprecias lo que ha contado... y a ella también. Dale gracias a tu líder de estudio bíblico por la lección y por su duro trabajo. Da un paso más y comenta lo que más te gustó o te sirvió de la lección, lo que aprendiste. Dile a los que organizan las salidas y excursiones de tu iglesia, o los campamentos, o los que abren sus casas para que vaya tu grupo, que estás agradecida por todo su trabajo y esfuerzo.

## *Aprende a buscar*

¿Conoces la historia de la Biblia del pastor que tenía cien ovejas y descubrió que le faltaba una (Lucas 15:1-7)? Pues bien, lo que más me impacta es que el pastor dejó todo y fue a buscar a la oveja perdida. Y lo que me impacta aun más es que de esa manera Dios nos cuida a ti y a mí. Y aquí hay otra cosa que me sorprende: ¡Dios espera que tú y yo cuidemos a los demás de la misma forma! Por eso, aquí tenemos algunos consejos para aprender a buscar.

- *Desarrolla un «ojo misericordioso»*: La Biblia dice que «el ojo misericordioso será bendito» (Proverbios 22:9, RV-60). Cuando pienso en un ojo misericordioso me imagino los ojos del Señor, que «recorre con su mirada toda la tierra, y está listo para ayudar a los que le son fieles» (2 Crónicas 16:9). Así que esto es lo que yo hago: siempre que estoy en un lugar público, busco a propósito ovejas heridas. Y créeme, ¡están por todas partes! He encontrado mujeres llorando en los baños de la iglesia, sentadas en el patio, incluso de pie tras la puerta del cuarto de oración de la iglesia enjugando sus ojos. Cuando encuentres a alguna persona necesitada... ¿qué vas a hacer?
- *Sé directa*: Yo he tenido que aprender (sí, *¡aprender!*) a ser directa y a alcanzar a las personas heridas. No siempre es fácil, pero es como se debe hacer.

Una noche en la iglesia estaba sentada al lado de una extraña, una visitante de nuestra iglesia. Pues bien, esta mujer estuvo llorando a lágrima viva toda la tarde. Estaba impaciente para que mi pastor dijera «amén» con el propósito de dirigirme a ella y decirle: «¿Puedo hacer *algo* por usted? ¿Quiere que hablemos? ¿Puedo orar con usted? ¿Puedo darle algo?». Pues bien, amiga, lo que esta persona tenía era una necesidad espiritual: necesitaba al Salvador... ¡y esa fue la noche en que se hizo cristiana! Dios estaba obrando en su corazón y me usó en una mínima parte para ayudarla. ¡Gloria a Dios!

## *Ve para dar*

Me da alegría comentarte algunas de las palabras que han cambiado mi vida. Son del misionero y mártir Jim Elliot, quien dijo una vez:

Dondequiera que estés,
que sea por completo.
Vive al máximo cada situación que creas
que es la voluntad de Dios[20].

Intento recordar estas palabras en cualquier lugar que esté y haga lo que haga (¡como escribir este libro ahora mismo mientras el sol brilla y el tiempo tan maravilloso que hace fuera me tienta a dejar mi computadora!). Sin embargo, intento recordar estas palabras en especial siempre que voy a la iglesia o a una actividad ministerial. Acudo esperando que Dios me use y, claro, quiero animarte a que tú hagas lo mismo. ¿Cómo?

- *Permanece del todo allí*: Antes de ir a cualquier actividad, le pido a Dios que pueda ir para dar. Oro a fin de mirar más allá de mí misma, ser directa y no retener nada. Después, mientras voy, pongo en espera todos los demás pensamientos. Cuando estoy en un estudio bíblico, no estoy pensando en lo que voy a hacer cuando llegue a casa. Y durante el mensaje de mi pastor, no hago planes para la semana ni me preocupo por la lista de cosas que tengo que hacer. Además, no quiero preocuparme por lo que ocurrió antes de llegar o por lo que ocurrirá cuando termine la reunión. ¡Quiero estar allí por completo!

- *¡Vive al máximo!*: No quiero tan solo estar allí, ¡sino que quiero vivir cada momento al máximo! Mi filosofía es que mientras esté ahí, mientras esté dedicando una mañana o una tarde para estar en una actividad de la iglesia o en un culto de alabanza, quiero darme por entero. Quiero alcanzar al mayor número posible de ovejas, ministrar a toda la gente posible de todas las formas que sepa y pueda. Y, mi querida amiga, quiero (por supuesto, ¡de nuevo!) que tú también experimentes esto y que Dios te use para influir en la vida de otros, y que de ese modo las vidas de otros mejoren debido a tu gran corazón servicial!

- *Divide y vencerás*: Esto es difícil... pero quiero que te pongas de acuerdo con tus mejores amigas para *no* sentarse juntas, salir a pasear juntas, compartir juntas o hacerse visitas mientras están en la iglesia. Lo que quiero, en su lugar, es que tú y tu grupo se dividan y venzan. Esto es lo que ocurrirá si lo hacen. Fuiste para dar, ¿verdad? Por lo tanto, ¿cómo des das a otros si estás siempre con tus mejores amigas? Puedes hablar con ellas en cualquier otro momento, en la escuela, por teléfono o en sus casas. Sin embargo, ¿qué ocurre con los que no conoces, las personas que visitan la iglesia por primera vez que están solas y no conocen a nadie? ¿Y qué ocurre con las que están dolidas, solas, que han vivido una mala experiencia en su casa justo antes de llegar a la iglesia (¡o quizá que están soportando *a cada momento* una situación difícil en su casa!)? Tus mejores amigas tienen acceso directo a ti y a tu tiempo. Tienen muchísimos momentos a solas contigo. Entonces, ¿por qué se supone que deben tener también tu tiempo público? Pueden ponerse de acuerdo para verse y hablar más tarde. Por lo tanto, haz un pacto para dividir y vencer. Si ven que están gravitando las unas hacia las otras, digan: «¡Vengan! ¡Vayamos a tocar la vida de alguna oveja!».

### *Da en oración*

Uf. He aquí de nuevo... de vuelta a la oración. Comenzamos nuestro libro con oración, y una y otra vez volvemos a ella. Aun así, ya tú y yo nos damos cuenta que en esto consiste ser una mujer conforme al corazón de Dios: ¡una mujer que ora! ¡Así que, ora, amiga mía! Ora por otros. Ora por tu pastor y los que trabajan en la iglesia. Ora por tu líder de jóvenes. Si este líder está casado, ora por su cónyuge y su familia. Ora por los misioneros de tu iglesia. Ora para que otros conozcan a Cristo. La oración es un ministerio, un ministerio que es determinante en las vidas de las personas. Así que haz lo que tengas que hacer para desarrollar una vida de oración. ¿Cómo? De la manera que aprendimos antes...

- *Establece un tiempo*: asegúrate de tener un tiempo (*tu* tiempo) de oración.
- *Establece un lugar*: asegúrate de tener un lugar (*tu* lugar) para orar.
- *Establece un plan*: asegúrate de tener un plan para organizar tu ministerio de oración (un cuaderno, una lista, un diario). Y cuando lo hagas, establece un plan para ver con exactitud los días que vas a orar por cada persona. Por algunas personas (como tu familia y tus amigas) querrás orar todos los días. Y querrás escoger un día específico de la semana para orar por otras (como tus pastores, misioneros y maestros de tu escuela). Pon toda esta información en tu plan general de oración.

Querida hermana según el corazón de Dios, hay una cosa más que quiero decirte cuando tú y yo soñamos con desarrollar corazones que sirvan. Cuando buscamos y nos ofrecemos para dar y servir, cuando dejamos que Dios nos use en esas pequeñas cosas, algo maravilloso ocurre: tú y yo recibimos bendiciones más allá de lo que seríamos capaces de imaginar. Cuando damos estos pequeños pasos, aunque a veces difíciles, y servimos a otros, hacemos crecer un carácter que desea buscar, dar y servir aun más. Y este, mi amiga, ¡es el carácter de un héroe! Un héroe tiene un corazón que sirve a los demás.

## ✎ De la Palabra de Dios para tu corazón...

Sé que te he dado muchos versículos mientras hacíamos nuestro recorrido por este capítulo, pero ahora quiero que mires algo más. Haz una oración a Dios a fin de que Él use su Palabra para transformar tu corazón en uno que ame y sirva a su pueblo de forma desinteresada y compasiva. A medida que leas, pregúntale a tu corazón: «¿Cómo me convierto en una mejor sierva del pueblo de Dios?».

> *El que quiera hacerse grande entre ustedes deberá ser su servidor, y el que quiera ser el primero deberá ser esclavo de los demás; así como el Hijo del hombre no vino para que le sirvan, sino para servir y para dar su vida en rescate por muchos* (Mateo 20:26-28).

> *Progresando siempre en la obra del Señor, conscientes de que su trabajo en el Señor no es en vano* (1 Corintios 15:58).

> *Sírvanse unos a otros con amor* (Gálatas 5:13).

*Sirvan de buena gana, como quien sirve al Señor y no a los hombres* (Efesios 6:7).

*Oren en el Espíritu en todo momento, con peticiones y ruegos. Manténganse alerta y perseveren en oración por todos los santos* (Efesios 6:18).

## Respuesta del corazón

Comenzamos este capítulo hablando sobre los héroes. ¿Qué convierte a una persona en héroe? Una persona no se convierte en héroe porque decida serlo. No, un héroe nace cuando ocurre un incidente y responde al llamado con un acto heroico. Un héroe es tan solo una persona común y corriente que, un buen día y con un solo acto, hace algo extraordinario. Un héroe podría ser alguien como tú, una joven que sirve a otros con fidelidad.

Cuando pienso en alguien que tenía un corazón que se preocupaba y servía, enseguida pienso en una mujer del Antiguo Testamento. Puedes leer su historia (lee 2 Reyes 4:8-10), pero por ahora te daré la versión condensada. Esta mujer sin nombre, a la cual se hace referencia en la Biblia como «la sunamita», vio que el profeta Eliseo no tenía un lugar para quedarse cuando llegaba a su ciudad en sus giras de predicaciones. Así que, esta querida mujer le preguntó a su esposo si podían hacer una pequeña habitación en su tejado de modo que el profeta se quedara a dormir cuando pasara por la ciudad.

Entonces, ¿qué hizo la sunamita para hacerla tan especial? ¿Tan heroica? Hizo lo que tú y yo *podríamos* hacer y *deberíamos* hacer: *buscó* y vio una necesidad, se esforzó y extendió una mano ayudadora, y *derramó* un corazón de amor sobre otra persona.

Querida joven hermana, Dios nos ha dado un ejemplo en esta mujer y sus acciones (y su corazón). Nosotras también deberíamos buscar, tender la mano y ayudar a los que nos rodean. La sunamita nunca estará en ninguna lista de heroínas. Aun así, podemos estar seguras que cada vez que el cansado profeta de Dios, Eliseo, entraba en esa pequeña habitación en el tejado de esa casa, la sunamita era una heroína para él.

Tú también puedes ser una heroína. ¿Cómo? Siguiendo el consejo del apóstol Pablo, que dijo: «siempre que tengamos la oportunidad, hagamos bien a todos, y en especial a los de la familia de la fe» (Gálatas 6:10). Comienza con la bondad. Y después ponte a reflexionar mientras Dios hace crecer en ti un corazón servicial. Las instrucciones son sencillas (léelas aquí abajo). Sin embargo, ¡seguirlas nos llevará toda la vida!

> Haz todo el bien que puedas,
> por todos los medios que puedas,
> de todas las formas que puedas,
> en todos los sitios que puedas,
> todas las veces que puedas,
> a todos cuantos puedas,
> todo el tiempo que puedas[21].

## Cosas que podemos hacer hoy para desarrollar un corazón que sirve

♡ Mientras terminas este capítulo, ¿cuál es la próxima actividad de tu iglesia según tu calendario? ¿Cómo pones en práctica los principios que acabas de aprender sobre desarrollar un corazón servicial?

♡ Vuelve a revisar los principios de este capítulo sobre el servicio a otros. Luego enumera tres cosas que puedas hacer para servir a otras personas de tu iglesia. Ahora bien, ¿a quién puedes pedir supervisión mientras oras para seguir adelante con tus buenas intenciones?

♡ Solo por hoy... haz todo el bien que puedas, de todas las formas que puedas, en todos los lugares que puedas, todas la veces que puedas, a todos los que puedas.

## ¿Te gustaría saber más? Echa un vistazo

- ✓ Lee ahora la historia de la sunamita en 2 Reyes 4:8-10. ¿Qué principios puso en práctica para servir a otros? ¿Cómo estableció un buen ejemplo para ti en tu servicio a los demás?

- ✓ Para leer sobre otra heroína, lee la historia de Dorcas en Hechos 9:36-41. ¿Qué principios vivió de servicio a los demás? ¿Cómo estableció un buen ejemplo para ti en tu servicio a los demás?

- ✓ La Biblia enseña que cada cristiano ha recibido *dones espirituales* «para el bien de los demás» (1 Corintios 12:7). Según 1 Pedro 4:9-11, ¿cuáles son algunos de estos dones espirituales que puedes usar en la iglesia? ¿Cómo puedes ser fiel en servir a otros creyentes «para el bien de los demás»?

- ✓ Jesús, por supuesto, es el máximo ejemplo de Dios de un corazón que sirve. Lee en oración Filipenses 2:3-8. ¿Cómo sirvió Jesús a otros (versículos 5-8)? ¿Y qué dice el apóstol Pablo que deberías hacer tú para desarrollar un corazón servicial (versículos 3-4)?

# 14

# Un corazón marcado por la pureza

*La mujer no casada, lo mismo que la joven soltera, se preocupa de las cosas del Señor; se afana por consagrarse al Señor tanto en cuerpo como en espíritu.*
1 CORINTIOS 7:34

Al interactuar con mujeres de todas las edades y escuchar su corazón, responder sus cartas y tomar sus manos mientras sollozan y me cuentan sus problemas y se lamentan conmigo, créeme, toda esta esfera de la pureza está en los primeros lugares de la lista. Es un asunto muy importante para cada mujer.

Antes de entrar de lleno en este aspecto tan importante de tu vida, espero y oro que te des cuenta que todo lo que hemos considerado hasta ahora en este libro es fundamental para este asunto de la pureza del cuerpo, el alma y el espíritu. Tu amor por Dios y tu familia, unido a tu obediencia a Dios y a tus padres, tiene como propósito hacerte sentir completa y rodearte de buenas relaciones que producirán un carácter puro y duradero en ti. ¡Qué gran ventaja tendrías si estos elementos básicos de la pureza estuvieran presentes en tu vida!

Sé que se han escrito muchos libros sobre la pureza, el noviazgo y las relaciones prematrimoniales. Y, dependiendo de tu edad y de tu situación, quizá quieras leer algunos de ellos. Sin embargo, para mi propósito de presentar un repaso de las esferas prioritarias de tu vida como joven cristiana que eres, quiero darte un breve y concreto resumen o lista. Y mientras lo lees, recuerda esto: Dios te ha dado su Palabra, tu iglesia y a tus padres para ayudarte a caminar (¡y para caminar contigo!) a través de los años jóvenes de tu vida. Y también te ha dado el poder del Espíritu Santo para capacitarte a fin de mantenerte pura, resistir la carne y fortalecerte con su dominio propio (Gálatas 5:22-23).

### *Algunas palabras sobre la pureza*

Al igual que en las demás esferas de tu vida, Dios espera que supervises y controles tu pureza. Dios te ha confiado la posesión más preciosa: tu pureza. Y la pureza debe mantenerse en todos los niveles. Por ejemplo...

- Tu pureza física es algo muy especial y debería preservarse a cualquier precio.
- Tu pureza mental es donde empieza todo. Lo que piensas determina en gran medida cómo te comportas.
- Tu pureza espiritual tiene que ver con tu corazón. El corazón de una mujer conforme al corazón de Dios es puro, un corazón que desea ser puro.

Dios deja muy claro en la Biblia que Él quiere que sus mujeres sean puras. Es más, en Tito 2:3-5 Dios instruye de manera específica a las mujeres mayores de la iglesia y en la fe a que enseñen a las más jóvenes «a ser [...] puras» (versículo 5). Me sorprende que solo se enumeraran seis aspectos que estas mujeres mayores deben enseñar a sus hermanas más jóvenes en el Señor, y la *pureza* es una de ellas. Esto, amiga mía, ¡sitúa la pureza en la posición más alta en la lista de Dios para ti y para mí!

Así que una mujer conforme al corazón de Dios (sin importar su edad, ya sea que esté en la pubertad, adolescencia, juventud o sea esposa y madre, una mujer de mediana edad o alguien más anciana) es alguien que pone especial atención en la pureza. Sin duda, Dios llama a *todos* los cristianos a ser puros y a mantenerse puros.

La palabra «pura» (Tito 2:5) se traduce en diferentes versiones de la Biblia como «casta» y «mentalmente pura». Si buscas en tu diccionario la palabra «pura», verás que significa sin mancha, libre de polución, estar limpia y ser inocente y sin culpa.

## ✎ *De la Palabra de Dios para tu corazón...*

Hagamos una pausa un minuto y llevemos estos versículos hasta el corazón. Conforme nos dirigimos a este asunto, ora mientras lees los siguientes versículos. Ora para que Dios los marque en la tierna carne de tu corazón (Proverbios 3:3). Ora para que el Espíritu Santo de Dios y la Santa Palabra de Dios dejen marcados sobre ti los cambios que debes hacer con relación a tu pureza y visión de la importancia de tu pureza. Ora por la instrucción que cada versículo enviará a tu corazón sobre la pureza.

*Consérvate puro* (1 Timoteo 5:22).

*Por último, hermanos, consideren bien todo lo... puro... todo lo que sea excelente o merezca elogio* (Filipenses 4:8).

*Huye, pues, de las pasiones juveniles y sigue la justicia, la fe, el amor y la paz, con los que invocan al Señor con un corazón puro* (2 Timoteo 2:22, LBLA).

*Para los puros, todo es puro* (Tito 1:15).

## *Unas palabras acerca de salir con chicos*

Estoy segura de que eres consciente de que entre los círculos cristianos se está librando una feroz batalla sobre el asunto de salir o no con chicos: ¿estás tú o no estás saliendo con algún chico? ¿Deberías salir o no deberías salir con algún chico? Si es así, ¿a qué edad? ¿Y llamas a esto *salir* o *noviazgo*? Si tienen una cita, ¿van solos o en grupo? Y la discusión es interminable.

Cuando nuestras dos hijas crecían, todas las familias decidían por ellas mismas sus propias normas y pautas de comportamiento. Había pocos libros, si es que había alguno, sobre este asunto de salir con chicos. Todos, tanto los adolescentes como los padres, andaban a tientas su camino a través de los años de la adolescencia. Con mucha oración y consultas a padres mayores y sabios, mi esposo, Jim, como cabeza de nuestro hogar, estableció estas tres normas para nuestras hijas.

- No habría salidas ni discusiones al respecto hasta que nuestras hijas tuvieran dieciséis años.
- Aun después de los dieciséis años no saldrían con chicos, pero Katherine y Courtney podrían ir a actividades especiales, tales como el banquete de fin de curso,

con un chico y otras cuantas parejas más, *si* ese chico le pedía antes permiso a Jim.

- Después de terminar el bachillerato, las chicas podrían ir con un chico, *si* este llamaba a Jim (aunque fuera a larga distancia) para pedirle permiso. Esto había que hacerlo aun cuando se tratara de ir a tomar una Coca-Cola.

No sé cómo te parecerá esto (¡aunque me lo puedo imaginar!), pero esas tres normas protegieron a nuestras hijas de tener que lidiar con emociones innecesarias y prematuras, de la presión de sus compañeros y de la clase indebida de jóvenes. (Y, por cierto, ¡nuestras hijas han seguido dándonos gracias por estas normas desde entonces!).

Así es como hicimos las cosas en nuestra familia con nuestras hijas cuando eran adolescentes. Ahora, ¿cómo será en tu caso? ¿Por qué no poner las normas más altas? ¿Por qué no...?

- *Decide* no salir con chicos hasta que termines el bachillerato. ¡Hay noventa y nueve por ciento de probabilidades de que cualquier chico con el que salgas antes de que tengas edad de casarte, no sea tu futuro esposo! (¡Piensa en esto!). Entonces, ¿cuál es el propósito de salir con chicos? Debes saber que salir con chicos es una montaña rusa emocional de la que puedes salir enferma después de cada vuelta.

- *Decide* concentrarte en actividades de grupo, preferiblemente en actividades de la iglesia. Interactúa con los jóvenes de ese grupo.

- *Decide* asegurarte que tu familia participe y conozca bien a tus amigos.

- *Decide* permanecer moralmente pura, sin importar lo que cueste. Debes tomar esta decisión antes de comenzar a salir con algún chico, y antes de cualquier cita que puedas tener, sin importar tu edad.

Casi puedo oírte preguntando: «¿Pero qué pasa si ya estoy saliendo con un chico?». Bueno, mi querida amiga, ¡sigue leyendo! Y pon especial atención en lo que digo sobre juntarte con la buena clase de amigos, ya sean chicos o chicas. Tienes que asegurarte de salir con un joven que desee tener el corazón de Dios, y eso significa que sea un cristiano activo, un joven cuyo amor por Dios le mantenga comprometido a seguir los mandamientos de Dios sobre la pureza en su vida... ¡y en la tuya también! Cristo debe tener autoridad en su vida, al igual que Cristo tiene autoridad en la tuya. Y su corazón, como el tuyo, debe estar decidido a obedecer el plan de Dios para tu pureza y la suya.

Ahora, ¡aprendamos más sobre los rasgos de un joven conforme al corazón de Dios!

## *Unas palabras sobre los muchachos*

Es un hecho que estarás alrededor de muchachos. No obstante, repito, ¡asegúrate de todas las formas posibles de que los jóvenes que te rodean sean cristianos activos y firmes! Rodéate de la clase de amigos, chicos o chicas, que impulsen tu crecimiento espiritual y que te estimulen a la bondad. A partir de ahora, usa las pautas más altas de la Biblia para un cristiano como tus guías para hacer amigos. Estas pautas se encuentran en 1 Timoteo 3 y Tito 1, pero básicamente apuntan a un hombre de Dios que sea inocente en su carácter y recto en su conducta. Esta pauta es alta, por eso es la de *Dios* y no la de los hombres. Querida amiga, Dios desea lo mejor de *ti*, y tú deberías desear lo mejor de un joven. No te conformes con menos de lo mejor: ¡un hombre conforme al corazón de Dios!

## *Unas palabras sobre tu manera de vestir*

Quiero comentarte dos cosas en esta esfera del vestir. Primero, quiero que sepas lo que dice la Biblia sobre tu forma de vestir (¡y lo dice con una sola palabra!): que sea *modesta* (1 Timoteo 2:9).

En segundo lugar, quiero que oigas lo que un joven dice sobre tu forma de vestir. Su nombre es Jason Perry, del grupo de música cristiano *Plus One*. Jim y yo estuvimos en una ocasión con Jason respondiendo preguntas sobre salir con chicos, preguntas hechas por representantes de una gran cadena de librerías cristianas. En su libro *You Are Not Your Own*, Jason dice esto sobre tu forma de vestir:

> Cuando veo a las chicas vestidas de forma provocativa, no solo aparto mi vista, sino que oro por ellas. Es obvio que hay un problema más profundo: buscan afirmación de la forma indebida. Me pregunto: ¿Es así como quieres que te vean los chicos, como un objeto sexual? ¿O te gustaría más que un chico te conociera y te cuidara por tu carácter y no solo por tu belleza exterior?
>
> Me encanta ver muchachas que visten de una forma que no es irrespetuosa para ellas mismas. Chicas, Dios nos dice que seamos santos y puros con nuestros cuerpos. Aun cuando nuestra cultura nos diga que está bien vestir ropa sexy o casi inexistente, quiero retarte a que camines por un sendero diferente. Hay muchas formas de ir a la moda y de tener un buen aspecto sin seducir ni flirtear[22].

Ahora bien, mi amiga, vamos a ponernos de acuerdo en «caminar por un sendero diferente» en nuestra manera de vestir. Seamos santas, puras y modestas en nuestra manera de vestir.

## *Unas palabras sobre tu mente*

¿De dónde vienen los pensamientos e intereses impuros? Pues bien, ¡es obvio que vienen de la carne (Gálatas 5:19)! ¿Y de dónde más? Vienen del mundo, de lo que vemos en televisión y en las películas, de lo que leemos en las revistas y libros y de lo que oímos a otros. Esta información se planta después en nuestra mente.

Amada, Dios nos llama a ti y a mí, como mujeres suyas que somos, a destruir los pensamientos impuros de nuestra mente. En lugar de los pensamientos sensuales y mundanos, ¿en qué nos dice Él que pensemos? «Piensen en lo que es *puro*» (Filipenses 4:8, LBD). Dios también nos dice que nuestros pensamientos impuros revelan un corazón impuro: «Porque del corazón salen los malos pensamientos [...] los adulterios, la inmoralidad sexual» (Mateo 15:19). ¿Lo entendiste? ¡Nuestros pensamientos son un asunto del corazón! Así que hazte un rápido chequeo del corazón: ¿en qué piensas? ¿Qué piensas de los demás? ¿Es algo puro? Entonces presta atención al consejo de Dios:

> *¿Cómo puede el joven llevar una vida íntegra? Viviendo conforme a tu palabra. Yo te busco con todo el corazón; no dejes que me desvíe de tus mandamientos. En mi corazón atesoro tus dichos para no pecar contra ti* (Salmo 119:9-11).

### *Unas palabras sobre tu boca*

Y aquí tenemos otra lección sobre la pureza: la Palabra de Dios dice que evitemos «toda conversación obscena». Entonces, ¿sobre qué tenemos que hablar? Pues sobre lo que contribuya «a la necesaria edificación» (Efesios 4:29). Ya sea que lo reconozcamos o no, todo lo que pensamos saldrá tarde o temprano por nuestras bocas. Nuestros pensamientos guían nuestras palabras. Es como dijo Jesús: «De la abundancia del corazón habla la boca» (Mateo 12:34). (Insisto, ¿lo entendiste? ¡Nuestra manera de hablar también es un asunto del corazón!). Para resumir lo que estamos aprendiendo, pienso de inmediato en estas simples palabras de precaución:

Tengan cuidado, ojitos, con lo que ven,
Tengan cuidado, oiditos, con lo que oyen,
Ten cuidado, pequeña mente, con lo que piensas,
Ten cuidado, boquita, con lo que dices,
Si quieres crecer.

### *Unas palabras sobre tus padres*

Si ser adolescente es difícil, tendrás que darte cuenta que ser el papá o la mamá de un adolescente también es algo muy difícil. Con todo, recuerda que ningún otro te conoce mejor, te ama más ni quiere lo mejor para ti que tus padres. Por eso, quiero volver a decir lo siguiente: presta atención a sus pautas para tus relaciones y sus normas para tu pureza, y desea su aprobación para tus amistades de ambos sexos y para tus actividades.

### *Unas palabras sobre tus normas*

En este asunto tengo unas breves palabras para ti: *fija* tus normas, ¡y fíjalas *alto*! Cuando mis hijas estaban en la escuela, Jim les pidió que escribieran la clase de hombre que creían que Dios quería para ellas como esposo. Después, cuando pasaron los años y los chicos guapos y populares comenzaron a aflorar en sus vidas, Jim sacó las listas que las chicas escribieron y les preguntó: «¿Cumple este chico con tus normas?». Yo te animo a que hagas lo mismo. Como dije antes, fija tus normas, ¡y fíjalas *alto*! (Y mientras lo haces, ¡fija normas para ti misma, para la clase de buena mujer que este buen hombre querría tener como esposa!).

### *Unas palabras sobre tu cuerpo*

Tu pureza física es importante para Dios. ¿Por qué? Porque...

- Tu cuerpo es un templo: «¿Acaso no saben que su cuerpo es templo del Espíritu Santo, quien está en ustedes y al que han recibido de parte de Dios?» (1 Corintios 6:19).

- Tu cuerpo no te pertenece: «Ustedes no son sus propios dueños» (1 Corintios 6:19).
- Tu cuerpo se compró por precio: «Fueron comprados por un precio» (1 Corintios 6:20). Y ¿cuál fue ese precio? «La preciosa sangre de Cristo» (1 Pedro 1:19).
- Tu cuerpo es para honrar y glorificar a Dios: «Honren con su cuerpo a Dios» (1 Corintios 6:20). Por lo tanto, «la voluntad de Dios es que sean santificados; que se aparten de la inmoralidad sexual; que cada uno aprenda a controlar su propio cuerpo de una manera santa y honrosa, sin dejarse llevar por los malos deseos» (1 Tesalonicenses 4:3-5).

### *Unas palabras sobre tus amigas*

¡No olvides escoger a tus amigas con sabiduría! Serán determinantes por completo en tu pureza. La Palabra de Dios dice que tienes que seguir «la justicia, la fe, el amor y la paz, con los que invocan al Señor con un corazón puro (2 Timoteo 2:22, LBLA). Recuerda... ¡no tener amigas es mejor que tener malas amigas!

### *Unas palabras sobre el mundo*

La Biblia nos insta a ti y a mí, como sus queridas mujeres que somos, ¡a «no se amolden al mundo actual» (Romanos 12:2)! Es muuuuuy fácil para nosotras amoldarnos a las normas y la moral de nuestra sociedad. Por tanto...

- Tienes que ser transformada «mediante la renovación de tu mente» (Romanos 12:2).
- No tienes que «amar al mundo ni nada de lo que hay en él» (1 Juan 2:15).

- Tienes que «huir de las malas pasiones de la juventud» (2 Timoteo 2:22).
- No tienes que amoldar tu vida a los «que no conocen a Dios» (1 Tesalonicenses 4:5).
- Tienes que recordar que estás *en* el mundo, pero no eres *del* mundo (Juan 17:14, 16).

## *Unas palabras sobre tu futuro*

Dios tiene un plan para tu vida, incluso para tu vida ahora mismo como mujer joven y soltera. ¿Cuál es?

> *La mujer no casada, lo mismo que la joven soltera, se preocupa de las cosas del Señor; se afana por consagrarse al Señor tanto en cuerpo como en Espíritu* (1 Corintios 7:34).

El plan de Dios para ti es que te mantengas pura en cuerpo y mente y que lo sirvas a Él. *Dios* debe ser la prioridad que abarque tu vida. Tú eres su hija y, por lo tanto, tienes que vivir para Él y según su Palabra. Tienes que vivir de la forma que *Él* quiere que vivas. Y no solo tienes que mantenerte pura en cuerpo y mente para Dios ahora que estás soltera, sino que también tienes que mantenerte pura en cuerpo y mente para tu futuro esposo, si es que el matrimonio es la voluntad de Dios para tu futuro.

## *Unas palabras sobre tu aspecto*

No podíamos tener un libro para mujeres y no decir algo sobre nuestro aspecto, ¿no es cierto? Sin embargo, es interesante que la Biblia contenga muy poco sobre nuestra apariencia externa. Quizá se deba a que la Biblia es un libro espiritual y quiere centrar nuestra atención en el hombre y la mujer «interior» (2 Corintios 4:16).

Aun así, no cabe duda que hay maneras en las que tú y yo podemos cuidar nuestro aspecto. Y Dios hace algunos comentarios sobre la apariencia externa de algunas de las mujeres de la Biblia. Por ejemplo...

- Sara fue llamada una mujer hermosa por su marido Abraham (Génesis 12:11).
- Tanto a Rebeca como a Raquel las describen como hermosas de forma y de rostro (Génesis 24:16 y Génesis 29:17).
- La exquisita Ester se preocupó de su apariencia, se vistió con esmero y «se ganó la simpatía de todo el que la veía» (Ester 2:15).
- No sabemos qué aspecto tenía la mujer de Proverbios 31, pero sabemos que sus vestidos eran especiales, de púrpura y lino fino (Proverbios 31:22).

Parece claro que la belleza y el cuidado de tu apariencia tienen un lugar en tu vida diaria. No te preocupes en exceso por tu imagen. Te ves exactamente como Dios quiso que fuera (Salmo 139:14). No obstante, puedes esforzarte en cuidar tu apariencia. De modo que arréglate... ¡un poco! Maquíllate... ¡un poco! Vístete bien... ¡un poco! Cuida tu figura... ¡un poco! Otras personas te lo agradecerán.

Sin embargo, nunca olvides estas palabras de la Biblia: «Engañoso es el encanto y pasajera la belleza; la mujer que teme al SEÑOR es digna de alabanza» (Proverbios 31:30). Amiga, ¡lo que vale es lo de adentro! Así que asegúrate que lo que haya dentro sea puro. Y asegúrate que lo externo (tu vestido, tu conducta) refleje esa pureza.

### *Unas palabras sobre el perdón*

Tan solo unas breves palabras de ánimo: todo el mundo falla. La Biblia dice que «*todos* han pecado y están privados de la gloria de Dios» (Romanos 3:23). En ese *todos* estás incluida también, y en ese *todos* estoy yo. *¡Todos!* Gracias a Dios que Él nos extiende su perdón cuando caemos. Querida amiga, puedes disfrutar del perdón de Dios para los pecados pasados, presentes y futuros. Solo sigue los dos pasos que tratamos en el capítulo 5:

- Confesar tu pecado (1 Juan 1:9).
- Abandonar tu pecado (Proverbios 28:13).

Estos dos pasos representan la respuesta de nuestro corazón a nuestras acciones pecaminosas. ¿Pero acaso no estamos agradecidas porque Dios haya hecho su parte enviando a su Hijo a morir por nuestros pecados? Por la muerte de Jesús por nosotros, tenemos su perdón. «Dios, que es fiel y justo, nos los perdonará y nos limpiará de toda maldad» (1 Juan 1:9).

## Respuesta del corazón

Como puedes ver, tu pureza es de suma importancia cada día y en cada etapa de tu vida. Es la esencia que te hace ser una mujer conforme al corazón de Dios. Y es un asunto del corazón, de la mente y del carácter.

Ahora bien, pon mucha oración (¡y acción!) en estas maneras prácticas que aseguran nuestra pureza cuando miramos a Dios y a su divina, deslumbrante y santa pureza.

✓ Advierte la norma de Dios.

✓ Asume la norma de Dios como tuya.

✓ Admite cualquier pecado y todos los pecados contra la norma de Dios.

✓ Advierte y evade situaciones comprometedoras.

- ✓ Advierte y evade gente comprometedora.
- ✓ Apela a alguien para rendir cuentas.
- ✓ Advierte las consecuencias que cosecha la impureza.
- ✓ Aspira a una vida de obediencia, ¡una vida santa tiene voz!

## Cosas que podemos hacer hoy para desarrollar un corazón marcado por la pureza

♡ Echa un vistazo a las palabras «puro» y «pureza» en un diccionario. Escribe las definiciones. Después escríbelas con tus propias palabras.

♡ Solo durante un día, analiza tus pensamientos y conversaciones. ¿Qué descubriste? ¿Eran puros? ¿Tienes que hacer algún cambio? ¿Qué cambio?

♡ Mientras piensas en las palabras que analizamos en este capítulo sobre la pureza, ¿puedes señalar alguna esfera de tu vida que no pasaría un control de pureza? Ve a través de los «pasos para recibir el perdón», ¡y luego establece cambios radicales!

♡ Haz la siguiente oración tan a menudo como lo necesites a fin de ayudarte a mantenerte pura en cuerpo, alma y espíritu.

## Mi oración de pureza

Señor...

Te entrego todos los deseos de mi corazón...
alinéalos con
tu perfecta voluntad.

Te entrego mi mente...
para que la llenes con pensamientos que puedan
estar en tu santa presencia.

Te entrego mi boca...
para que pueda hablar solo lo que te dé honra a ti,
anime a otros y revele un corazón puro.

Te entrego mi cuerpo...
para que pueda guardarlo puro, de modo
que sea un vaso honorable y santo, listo para que lo uses.

Te entrego mis amistades con los jóvenes...
para que pueda establecer mi corazón sobre la pureza.
Para que puedas tener autoridad sobre todas mis pasiones.

Me entrego a ti una vez más.
Toma mi vida y permite que sea,
siempre, pura para ti.

## ¿Te gustaría saber más? Echa un vistazo!

✓ Lee (o mejor aun, ¡memoriza!) el Salmo 119:9-11. ¿Qué pregunta se hace y qué respuestas se da? ¿Cuál es el mensaje de Dios para tu corazón? ¿Y qué vas a hacer al respecto?

✓ Durante el próximo mes, lee un capítulo del libro de Proverbios cada día, el capítulo que corresponda con el día del mes. A medida que leas, ve haciendo dos listas: una de los rasgos de carácter y acciones del «hombre o mujer sabia», y una lista de los rasgos de carácter y las acciones del «hombre o mujer necia». Tu objetivo es anotar la clase de persona que eres, y que quieres ser, la clase de personas que quieres tener como amigos, la clase de amiga que quieres ser y la clase de hombre con el que te gustaría casarte.

## Tercera parte

# La puesta en práctica de las prioridades de Dios

# 15

# Un corazón que pertenece a Dios

*Busquen las cosas de arriba,*
*donde está Cristo sentado a la derecha de Dios.*
COLOSENSES 3:1

¡Enhorabuena! ¡Lo lograste! Muuuuuchas gracias por estar ahí conmigo todo este tiempo. Sé que hemos hablado de muchas cosas, pero mi objetivo al escribir este libro era abarcar las esferas principales de tu vida como joven y luego ver lo que Dios dice sobre cada una de ellas en su Palabra. Después de esto, tú tendrías, como dice la portada de tu libro, una guía «sobre los amigos, la fe, la familia y el futuro». Espero que en estos momentos tengas un mayor entendimiento de las pautas de Dios para cada una de estas esferas tan importantes de tu vida.

Y ahora te toca a ti. Es tu turno para hacer que estos principios sean una realidad en tu vida. Sé que quieres hacerlo. Así que por favor, te lo ruego, no vaciles. Sigue los tres pasos, mis tres últimas palabras para ti, que siguen a continuación. Su intención es ayudarte a poner tu corazón en las cosas de arriba, donde está Cristo sentado a la derecha de Dios (Colosenses 3:1).

## *Palabra final #1: ¡Aderézalo!*

Cuando digo «¡aderézalo!» me refiero al lema que usa el chef Emeril en su programa de cocina de televisión en el *Food Network*

[Canal de la Comida]. Este chef tiene una personalidad muy dinámica (¡por decirlo de alguna forma!). Y cuando está preparando la comida, enseña a la audiencia que hay comida... ¡y después hay *comida*! Les enseña a los que cocinan que pueden mezclar comidas que se complementarán bien... o que pueden preparar alimentos que harán que quienes se los coman se chupen los dedos, platos excepcionales, por encima de lo común, fuera de la escala, de otra categoría. ¿Cómo se logra esto? El chef Emeril dice que solo es con «¡aderezarlo un poquito»! Lo único que hay que añadir son las especias que mejorarán el sabor. Ir un poquito más allá con sazones que harán que cada plato sea memorable, lo mejor que pueda llegar a ser.

Pues bien, mi fiel amiga lectora, a medida que terminamos nuestro tiempo juntas en este libro sobre ser una mujer conforme al corazón de Dios, esto es lo que quiero para ti (y para mí también). Cuando se trate de desarrollar un corazón que le pertenece a Dios, quiero que «lo adereces un poquito» y que siempre estés aderezándolo un poquito. Quiero que *ames* «al Señor tu Dios con *todo* tu corazón, con *todo* tu ser, con *todas* tus fuerzas y con *toda* tu mente», como dijo Jesús en Lucas 10:27. Quiero que lo ames más de lo que amas a cualquier otra cosa en tu vida, incluyéndote a ti misma.

Voy a pedirte que sueñes con tu futuro en un minuto, ¿pero quieres saber cuál es mi sueño para ti? Sueño (y espero y oro) que estés entregada en cuerpo y alma a Cristo, ahora, no más adelante. Que traspases las fronteras para seguir a Cristo, ahora y no después. Que acojas con pasión y de todo corazón su plan para tu vida, ¡y que vivas ese plan «hasta el fin»! Que te consumas con vivir para Dios y servir al Señor, ahora y no más tarde.

Ah, preciosa amiga, no permitas ningún patrón que refrene tu vida o tu crecimiento espiritual. No pongas tu corazón en espera. No aguardes a que algo ocurra, a que cambie, a que pase o a que mejore. No tienes ni un día... ¡ni siquiera un minuto!... que perder. Acabo de terminar de volver a leer un libro escrito por una mujer a la que oí hablar en mi iglesia hace algunos años. Es un libro que detalla la muerte de su amada hija adolescente Kathi, ¿y el título del libro? *18... No Time to Waste* [18... No hay tiempo que desperdiciar]. Querida, Kathi tenía dieciocho años de edad cuando ella y otras dos jóvenes murieron en un accidente de tránsito[23]. Así que mi súplica para ti es que no esperes nada: entrégate *ahora*. Aderézalo un poco *ahora*. Haz lo que tengas que hacer para ser una mujer cuyo corazón le pertenezca a Dios *ahora*. A decir verdad, no hay tiempo que perder.

## *Palabra final # 2: ¡Alza tu mirada!*

Una mujer con un corazón que le pertenece a Dios se asegura que su relación con Él crezca cada día al alzar la vista hacia Dios por medio de su Palabra y la oración. Esta es la mirada hacia arriba, mi querida amiga. A medida que buscas la sabiduría de Dios, su dirección y su fuerza cada día poniendo la mirada en su Palabra, y a medida que lo miras a pesar del curso de tu vida por medio de la oración, estás alzando tu mirada. Miras todo lo que hay en su maravilloso corazón.

Eso es la Palabra de Dios, ya sabes, su corazón. Y la manera de oír su corazón es leyendo la Palabra de Dios. David lo dijo de esta manera en uno de sus salmos: «Pero los planes del Señor quedan firmes para siempre; los designios de su mente son eternos» (Salmo 33:11). Otra traducción hace referencia a la Palabra del Señor como «el consejo de Jehová» que permanece para siempre y como «los pensamientos de su corazón» extendidos a todas las generaciones (RV-60), incluso la tuya. Cuando tu corazón y tu alma alcen la vista, serás transformada y conformada de manera maravillosa a la imagen de su amado Hijo (2 Corintios 3:18 y Romanos 8:29).

Ahora he aquí una tarea para ti, lanzada de forma directa desde el corazón de Dios al tuyo: «busquen las cosas de arriba, donde está Cristo sentado a la derecha de Dios. Concentren su atención en las cosas de arriba, no en las de la tierra» (Colosenses

3:1-2). Así que, ¿cómo ponemos con exactitud nuestro corazón en las cosas de arriba? ¿Cómo resistimos el empuje de las cosas mundanas? Respuesta: Alzamos la vista. Miramos la Palabra de Dios. Y oramos.

Años atrás, los marineros guiaban sus barcos con la ayuda de las estrellas. Cuando alzaban la vista, lograban orientarse y trazar su rumbo estudiando la posición de las estrellas. Sin embargo, cuando había nubes y no se veían las estrellas, estos viajeros del mar se quedaban desamparados y perdidos porque no tenían ningún punto de referencia. Lo mismo nos pasa a ti y a mí. Cuando alzamos la vista para ver el rostro de Dios, leyendo y estudiando en oración su Palabra, tenemos un punto de referencia para guiar el barco de nuestra vida. De no ser así, estaremos perdidas del todo y a la deriva.

Estoy segura de que has oído a cristianos dar testimonio diciendo cosas como...

> Yo vagaba fuera del camino...
> Me convertí en el hijo pródigo...
> Me aparté del Señor...
> Me enredé en el pecado...
> Perdí mi primer amor...
> Me desvié de la verdad...
> Tomé algunas malas decisiones...
> Toqué fondo...
> Me junté con malas compañías...

¿Te has preguntado alguna vez: *Qué ocurrió*? ¿Cómo puede alguien desviarse del camino? ¿Cómo un pródigo se convierte en pródigo? ¿Cómo nos apartamos del camino? ¿Cómo perdemos nuestro primer amor, nos desviamos de la verdad, tomamos malas decisiones y cometemos graves errores? ¿Cómo llegamos a estar dentro de un pozo sin fondo, dejando el rebaño de Dios, escogiendo un estilo de vida de deleitarnos en el fango y de comer la comida de los cerdos, como hizo el hijo pródigo?

Tanto tú como yo sabemos lo que ocurrió, ¿no es así? De algún modo, en algún momento, por alguna razón, la Palabra de Dios ocupó un lugar secundario en nuestra lista de actividades. Cada vez se empleaba menos tiempo, hasta que ya no se tomaba ningún tiempo, para desarrollar una pasión por conocer el plan de Dios e ir tras su corazón.

Por lo tanto, ¡alza la vista! Lee tu Biblia en oración cada día. Este simple acto revelará la dirección en la que te diriges, te colocará en el rumbo que debes ir y te ayudará a hacer las correcciones pertinentes a lo largo del camino.

Amada, en el corazón de una mujer que procura vivir según el plan de Dios para su vida hay una pasión por la Palabra de Dios. Y cuando tú y yo dejamos a propósito de desarrollar esta pasión, comenzamos a emplear nuestro precioso tiempo y nuestros días en metas más bajas... lo cual puede llevarnos a vagar fuera del camino del propósito de Dios para nuestras vidas y fuera de su voluntad. Por consiguiente, haz lo que haga falta para desarrollar una pasión por la Palabra de Dios y las disciplinas que inyectarán en tu corazón una pasión por la Biblia.

## *Palabra final # 3: ¡Sueña!*

La motivación es una clave cuando se trata de nutrir un corazón de devoción, y soñar nos ayuda a motivarnos. Como un llamado a despertar a la seriedad de la vida diaria y para encontrar una fresca urgencia sobre tu andar con el Señor, me gustaría pedirte que, mientras terminamos nuestro tiempo juntas para soñar, *¡sueñes con ser una mujer conforme al corazón de Dios!* Así que para poner a trabajar los músculos de tu sueño, aquí hay algunos ejercicios. Envíale una oración de corazón a Dios y luego deja que las respuestas pongan alas a tus sueños.

♡ *Describe la mujer que quieres ser espiritualmente dentro de un año.* ¿Te das cuenta que dentro de un año podrías atacar un punto débil de tu vida cristiana y obtener la victoria?

Podrías leer toda la Biblia, podrías ser discipulada por una mujer más madura que tú, o tú misma discipular a una hermana más joven en la fe (Tito 2:3-5). Podrías asistir a un estudio bíblico durante doce meses. Podrías leer doce libros cristianos de calidad. Y, por supuesto, podrías terminar otro año de estudios. Sin embargo, ¿qué *clase* de año?

♡ *Describe la mujer que quieres ser espiritualmente dentro de diez años.* Anota tu edad aquí y ahora mismo. Anótala en el margen. Luego suma diez años a esa cifra y escribe también ese número. ¿Te sorprende? ¡Quiero decir que estás mirando un número que representa un año de tu vida multiplicado por diez! Y no digamos nada de la multitud de nuevas etapas y fases por las que pasarás, y en las que entrarás entre ahora y entonces. Lo admito, ¡es asombroso!

> Imagínate ahora lo que estos diez años intermedios podrían depararte, ¡y verás que necesitas a Dios para los hechos de estos años! Necesitarás a Dios para que te ayude a vencer esferas de pecado y crecer en el espíritu. Te hará falta a fin de ser esa clase de hija y hermana. Lo necesitarás para que te ayude a permanecer pura. Lo necesitarás cuando te conviertas en esposa (si esto es su voluntad para ti). Te hará falta Dios para que te ayude a saber servir a otros. Lo necesitarás si entras en la universidad, en un ministerio cristiano o si trabajas. Y, querida amiga, necesitarías a Dios si murieras, si, al igual que Kathi, este fuera el plan de Dios para ti. Al fin y al cabo, ¡a Dios no solo le pertenece tu corazón, sino toda tu *vida*!

¿Crees que puedes ser esa mujer? ¡Con la gracia de Dios y en su fuerza sí puedes! Este es su papel en tu vida.

Con todo, hay también un lugar para tu esfuerzo. Como dice la Escritura: *Tú* cuidas «tu corazón, porque de él mana la vida» (Proverbios 4:23). *Tú* determinas algunos elementos del corazón. *Tú* decides lo que harás o lo que no harás, si crecerás o no crecerás. *Tú* también decides el ritmo al que quieres crecer: el ritmo casual, el ritmo del sarampión (unas erupciones repentinas aquí y allá), el ritmo de cinco minutos al día, o el ritmo de treinta minutos diarios. *Tú* decides si quieres ser un champiñón, que aparece durante una noche y se marchita y arruga con la primera ráfaga de viento o con el calor, o un roble, que dura, y dura, y dura, haciéndose cada vez más fuerte y más poderoso con el paso de los años. Por lo tanto, mi pregunta para ti es: ¿Hasta dónde... y a qué velocidad... quieres moverte para convertirte en la mujer de tus sueños, una mujer conforme al corazón de Dios?

## Respuesta del corazón

Pues bien, mi preciosa y joven compañera de viaje, aquí estamos: dos mujeres con corazones conforme al de Dios, soñando con «¡amarte más a ti, oh Cristo, amarte más a ti!». Aquí estamos, después de mirar la Palabra de Dios para averiguar cuál es el deseo de su corazón para nuestro corazón. Ah, qué gozo encontramos cuando nos sometemos a Dios y le permitimos que haga crecer en nosotras corazones que en verdad le pertenezcan a Él.

El futuro es tuyo, mi querida hermana. Mi oración por ti (¡y por mí!) es que, a partir de hoy mismo, vivas cada día como una mujer conforme al corazón de Dios. Después, preciosa mía, cada día será hermoso en Él y por Él... ¡hasta que tus días vividos para Él se aten juntos para convertirse en toda una vida hermosa viviendo como una mujer conforme al corazón de Dios! Y, ah, ¡qué vida más hermosa será esa!

# Notas


1. Carole Mayhall, *From the Heart of a Woman* [Del corazón de una mujer], NavPress, Colorado Springs, CO, 1976, pp. 10-11.
2. Ligeramente adaptado de Ray y Anne Ortlund, *The Best Half of Life* [La mejor mitad de la vida], Regal Books, Glendale, CA, 1976, pp. 24-25.
3. Ray y Anne Ortlund, *The Best Half of Life*, p. 79.
4. Jim Downing, *Meditation, The Bible Tells You How* [La meditación: La Biblia te dice cómo hacerla], Colorado Springs, CO, 1976, pp. 15-16.
5. Robert D. Foster, *The Navigator* [El navegante], Colorado Springs, CO, 1983, pp. 110-11.
6. Corrie ten Boom, *Don't Wrestle, Just Nestle* [«¡No luche, solo póngase cómodo!»], Fleming H. Revell Company, Old Tappan, NJ, 1978, p. 79.
7. Oswald Chambers, *Disciplinas Cristianas*, Editorial Vida, Miami, FL, 1997, p. 94.
8. Curtis Vaughan, ed. *The Old Testament Books of Poetry from 26 Translations* [Los libros poéticos del Antiguo Testamento en 26 traducciones], Zondervan Bible Publishers, Grand Rapids, MI, 1973, pp. 478-79.
9. Curtis Vaughan, ed., *The Old Testament Books of Poetry*, p. 277.
10. Edith Schaeffer, *What Is a Family?* [¿Qué es una familia?], Fleming H. Revell Company, Old Tappan, NJ, 1975.
11. *God's Word of Life for Teens* [Palabras de vida para jóvenes], The Zondervan Corporation/Inspirio, Grand Rapids, MI, 2000, p. 71.
12. *Biblia del Diario Vivir*, Editorial Caribe, una división de Thomas Nelson, Nashville, TN, 1997, p. 114.
13. Eleanor L. Doan, ed., *Libro de consulta para el orador*, Editorial Vida, Miami, FL, 1997, p. 207.
14. Annie Chapman, *10 Things I Want My Daughter to Know* [10 Cosas que quiero que mi hija sepa], Harvest House Publishers, Eugene, OR, 2002, pp. 15-16.
15. *Biblia del Diario Vivir*, p. 105.
16. Roy B. Zuck, *The Speaker's Quote Book* [Libro de citas del orador], Kregel Publications, Grand Rapids, MI, 1997, p. 174.
17. R. Kent Hughes, *Disciplines of a Godly Man* [Disciplinas de un hombre piadoso], Crossway Books, Wheaton, IL, 1991, pp. 62-63.
18. Roy B. Zuck, *The Speaker's Quote Book*, p. 159.
19. Alice Gray, Steve Stephens, John Van Diest, *Lists to Live By: The Third Collection* [Lid por la cual vivir: Tercera colección], Multnomah Publishers, Sisters, OR, 2001, p. 51.
20. Elisabeth Elliot, *Portales de Esplendor*, Editorial Portavoz, Grand Rapids, MI, 1959.
21. Eleanor L. Doan, ed., *Libro de consulta para el orador*, p. 37.
22. Jason Perry, *You Are Not Your Own* [Tú no eres tu dueño], Broadman & Holman Publishers, Nashville, TN, 2002, p. 109.
23. Margaret Johnson, *18... No Time to Waste* [18... No hay tiempo que desperdiciar], Zondervan Publishing House, Grand Rapids, MI, 1971.

## MOMENTOS DE QUIETUD

| Ene. | Feb. | Mar. | Abr. | May. | Jun |
|---|---|---|---|---|---|
| 1 | 1 | 1 | 1 | 1 | 1 |
| 2 | 2 | 2 | 2 | 2 | 2 |
| 3 | 3 | 3 | 3 | 3 | 3 |
| 4 | 4 | 4 | 4 | 4 | 4 |
| 5 | 5 | 5 | 5 | 5 | 5 |
| 6 | 6 | 6 | 6 | 6 | 6 |
| 7 | 7 | 7 | 7 | 7 | 7 |
| 8 | 8 | 8 | 8 | 8 | 8 |
| 9 | 9 | 9 | 9 | 9 | 9 |
| 10 | 10 | 10 | 10 | 10 | 10 |
| 11 | 11 | 11 | 11 | 11 | 11 |
| 12 | 12 | 12 | 12 | 12 | 12 |
| 13 | 13 | 13 | 13 | 13 | 13 |
| 14 | 14 | 14 | 14 | 14 | 14 |
| 15 | 15 | 15 | 15 | 15 | 15 |
| 16 | 16 | 16 | 16 | 16 | 16 |
| 17 | 17 | 17 | 17 | 17 | 17 |
| 18 | 18 | 18 | 18 | 18 | 18 |
| 19 | 19 | 19 | 19 | 19 | 19 |
| 20 | 20 | 20 | 20 | 20 | 20 |
| 21 | 21 | 21 | 21 | 21 | 21 |
| 22 | 22 | 22 | 22 | 22 | 22 |
| 23 | 23 | 23 | 23 | 23 | 23 |
| 24 | 24 | 24 | 24 | 24 | 24 |
| 25 | 25 | 25 | 25 | 25 | 25 |
| 26 | 26 | 26 | 26 | 26 | 26 |
| 27 | 27 | 27 | 27 | 27 | 27 |
| 28 | 28 | 28 | 28 | 28 | 28 |
| 29 |  | 29 | 29 | 29 | 29 |
| 30 |  | 30 | 30 | 30 | 30 |
| 31 |  | 31 |  | 31 |  |

**FECHA DE INICIO:**_______________

| Jul. | Ago. | Sep. | Oct. | Nov. | Dic. |
|---|---|---|---|---|---|
| 1 | 1 | 1 | 1 | 1 | 1 |
| 2 | 2 | 2 | 2 | 2 | 2 |
| 3 | 3 | 3 | 3 | 3 | 3 |
| 4 | 4 | 4 | 4 | 4 | 4 |
| 5 | 5 | 5 | 5 | 5 | 5 |
| 6 | 6 | 6 | 6 | 6 | 6 |
| 7 | 7 | 7 | 7 | 7 | 7 |
| 8 | 8 | 8 | 8 | 8 | 8 |
| 9 | 9 | 9 | 9 | 9 | 9 |
| 10 | 10 | 10 | 10 | 10 | 10 |
| 11 | 11 | 11 | 11 | 11 | 11 |
| 12 | 12 | 12 | 12 | 12 | 12 |
| 13 | 13 | 13 | 13 | 13 | 13 |
| 14 | 14 | 14 | 14 | 14 | 14 |
| 15 | 15 | 15 | 15 | 15 | 15 |
| 16 | 16 | 16 | 16 | 16 | 16 |
| 17 | 17 | 17 | 17 | 17 | 17 |
| 18 | 18 | 18 | 18 | 18 | 18 |
| 19 | 19 | 19 | 19 | 19 | 19 |
| 20 | 20 | 20 | 20 | 20 | 20 |
| 21 | 21 | 21 | 21 | 21 | 21 |
| 22 | 22 | 22 | 22 | 22 | 22 |
| 23 | 23 | 23 | 23 | 23 | 23 |
| 24 | 24 | 24 | 24 | 24 | 24 |
| 25 | 25 | 25 | 25 | 25 | 25 |
| 26 | 26 | 26 | 26 | 26 | 26 |
| 27 | 27 | 27 | 27 | 27 | 27 |
| 28 | 28 | 28 | 28 | 28 | 28 |
| 29 | 29 | 29 | 29 | 29 | 29 |
| 30 | 30 | 30 | 30 | 30 | 30 |
| 31 | 31 |  | 31 |  | 31 |

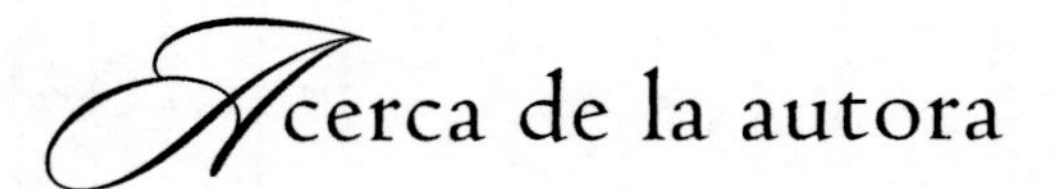

# Acerca de la autora

Elizabeth George es una autora y conferenciante de gran éxito, cuya pasión es enseñar la Biblia de una manera que transforme la vida de las mujeres. Para obtener información acerca de los libros de Elizabeth o de su ministerio como oradora, para inscribirte en su lista de correo o para contar cómo Dios ha usado este libro en tu vida, por favor, escríbele a:

Elizabeth George
P.O. Box 2879
Belfair, WA 98528

Línea gratuita de teléfono y fax (en los Estados Unidos):
1-800-542-4611
www.elizabethgeorge.com